D0806568

MAX FOUINEUR

La quête
des pierres sacrées

Tome III

Sylvain Lacharité

MAX FOUINEUR

La quête
des pierres sacrées

Tome III

Max Fouineur et la quête des pierres sacrées
Dépôts légaux :
Bibliothèque nationale du Québec
Bibliothèque nationale du Canada

Les Éditions JKA bénéficient du Programme de crédit d'impôt pour l'édition de livres — Gestion SODEC — du gouvernement du Québec.

Sauf à des fins de citation, toute reproduction, par quelque procédé que ce soit, est interdite sans l'autorisation écrite de l'éditeur.

© Les Éditions JKA
Saint-Pie (Québec)
J0H 1W0 Canada
www.leseditionsjka.com

ISBN : 978-2-923672-49-6
Imprimé au Canada

À ma douce fille adorée, Estelle,
Cette jeune femme passionnée de lecture !

Chapitre 1

*R*éveille-toi, Maxime…, chuchote doucement une voix familière.

Une main chaude et agréable lui caresse les cheveux. Le préadolescent, encore très somnolent, remue doucement son corps et commence tranquillement à se réveiller. Il garde toutefois les yeux fermés pendant quelques secondes, voulant profiter au maximum de cette sublime sensation de bien-être. Quand il ouvre finalement les yeux, son sang se glace instantanément dans ses veines.

— Cathy? Qu'est-ce que vous faites ici? C'est impossible! Vous êtes censée être en prison!

Max Fouineur voudrait bien se sauver, mais il en est incapable, car il est solidement ligoté à son lit d'hôpital par les chevilles et les poignets. Pour un instant, il ressent l'étrange impression d'être le Christ sur la croix, mais en position horizontale. La cruelle femme a profité de son sommeil pour l'attacher à son insu. Il est cuit.

— Effectivement, mon cher Maxime, je devrais être en prison. Mais, vois-tu, comme j'ai de très bons amis parmi les juges, je n'y suis plus. Et tu sais quoi ? Au moment où j'ai recouvré ma liberté, je n'avais qu'une seule idée en tête : te rendre une petite visite. C'est gentil, non ?

— Vous n'avez pas le droit d'être ici. Je vais crier. L'infirmière va venir me sauver.

— Encore faudrait-il qu'elle soit vivante…

— Quoi ? Vous l'avez tuée ?

— Pas seulement elle… En fait, tout le personnel de l'étage est maintenant bien silencieux. Que veux-tu, ils étaient tellement… comment dirais-je… exaspérants. Oui, c'est le bon mot : exaspérants. Je n'avais pas le choix de les éliminer si je voulais être tranquille pour exécuter mon plan.

— Exécuter votre plan ? Mais de quoi parlez-vous, au juste ?

— Mon cher Maxime, je reconnais bien là ta grande naïveté. Ça va me manquer, je te jure…

— Comment ça, ça va vous manquer ? Vous voulez dire que…

— Effectivement, mon cher. Je suis venue ici pour te tuer.

— Pour me tuer ? Ben voyons donc ! Je suis même pas responsable de vos malheurs. C'est vous qui

8

avez voulu piéger Bertrand... Je n'ai rien à voir là-dedans.

— Tu n'es responsable de rien ? Ma foi, tu es aveugle ou quoi ? À cause de toi, ma vie est ruinée. Je ne pourrai plus jamais vivre librement sans qu'un agent de police me surveille, j'ai perdu la confiance de mes patrons, je me suis tapé une balle dans la jambe et Bertrand m'a dit qu'il ne m'aimerait jamais. Tu appelles cela rien, toi ? Moi, j'appelle cela un petit crétin qui a mis son nez où il ne fallait pas. Et tu sais quoi ? Eh bien, ce petit crétin, il va payer très cher pour m'avoir causé tous ces ennuis.

— Pitié, Cathy. Je veux pas mourir.

— Qui t'a parlé de mourir immédiatement ? Je ne suis pas si méchante que ça, tu sais. En fait, c'est toi qui vas décider du moment de ta mort, pas moi.

— Quoi ? Mais je veux pas mourir, moi !

— Dans quelques instants, mon cher Maxime, tu souffriras tellement que tu me supplieras de te tuer. Par contre, je ne suis pas encore sûre que je vais accepter... Ce sera tellement plus amusant de t'entendre crier l'horreur de tes souffrances... J'en deviens toute fébrile, juste à y penser !

— Vous êtes folle...

— Probablement, mon cher. Probablement. Raison de plus pour passer à l'acte sans ressentir de culpabilité. La folie procure tellement de liberté, tu sais… tout est possible quand on est fou.

— Je ne me laisserai pas faire.

— Tu n'auras pourtant pas le choix.

La scientifique se penche sous le lit et sort un bâton de baseball en aluminium. Froidement, elle assène un fracassant coup sur les deux tibias du pauvre jeune homme sans défense. Le cri fend l'âme et résonne sur tout l'étage. Cela dure une bonne trentaine de secondes.

— Tu as aimé l'apéritif, Maxime? demande-t-elle en boitant difficilement autour du lit, jubilant devant les fractures qu'elle vient de lui infliger.

— Pitié, Cathy! Arrêtez!

— Pitié? Tu as bien demandé *pitié*? Pauvre petit chou… J'avoue y être allée peut-être un peu trop fort… Aurais-tu préféré un petit coup comme ça?

Elle laisse tomber le bâton sur les tibias de notre jeune héros, qui s'égosille encore plus fort de douleur.

— Arrêtez! Par pitié! supplie le jeune martyr, à bout de souffle.

— Je suis sincèrement désolée, Maxime… il m'a glissé des mains, je te jure. Comment pourrais-je me faire pardonner? Ah! J'ai trouvé…

La grande femme revient sur ses pas. Elle claudique vers le côté gauche du lit jusqu'au cabaret en acier stérilisé généralement utilisé pour servir les repas, sur la petite table de chevet brune. Elle le regarde quelques instants, puis elle se redresse, prise d'une idée géniale…

— Voilà… je pense que j'ai trouvé quelque chose qui devrait calmer ta souffrance… Morphine. Tu connais?

Les yeux de Maxime s'agrandissent. On peut ressentir tout l'effroi qui le paralyse.

— Ça devrait faire l'affaire, poursuit-elle en se retournant vers notre jeune héros, une seringue pointant vers le ciel dans la main droite.

— Non! Cathy! Non! Pas ça! Pitié! Pas de la morphine! Je vais mourir! C'est trop fort pour moi!

— Tu crois? Je ne crois pas, moi. Alors, dans le doute, il n'y a rien comme tenter l'expérience. C'est l'essence même de la science. Tu es d'accord avec moi, n'est-ce pas?

— Pitié, Cathy, non! Je veux pas! Non! Pitié!

Max Fouineur utilise toute son énergie pour essayer de se déprendre. Malgré toute sa volonté, les solides cordes résistent. Ses jambes le font atrocement souffrir, mais l'adrénaline circule tellement en lui qu'il ne les sent même plus. La grande Suisse s'approche calmement, le regard dur et froid. Un véritable zombie. Aucune émotion. Elle est déterminée à en finir maintenant. Sa respiration devient de plus en plus forte. Ses tempes se gonflent et se dégonflent à mesure qu'elle respire et ses dents se serrent…

— Semble-t-il que l'endroit le plus efficace pour injecter la morphine est la pupille de l'œil… susurre-t-elle, avançant l'aiguille impassiblement vers sa cible. Max Fouineur n'en peut plus…

— NOOOOOOOOOOON!

— Que se passe-t-il? demande une voix féminine au fort accent européen.

— J'ai fait un cauchemar épouvantable, sanglote le pauvre Maxime, encore haletant et ruisselant de sueur sur tout le corps.

— Mon pauvre petit… mais tu es tout trempé, ma foi! Attends, je vais aller te chercher des vêtements secs, continue l'infirmière de l'hôpital suisse où Maxime récupère de son opération pour l'asthme.

La jeune femme un peu grassette s'éloigne de quelques mètres et fouille dans une armoire remplie de jaquettes en coton turquoise et revient avec une sèche.

Seul point positif dans cet effroyable rêve : l'opération semble une totale réussite. Notre jeune héros, malgré son grand essoufflement, ne ressent plus aucune sensation d'étouffement dans ses poumons.

CHAPITRE 2

T rois jours plus tard, chez les Galley.

— Notre souper chez mes parents… qu'est-ce que tu en fais?

Claudine Galley pianote de ses grands doigts délicats sur la table de cuisine. Son mari Bertrand vient de lui annoncer son départ vers Lausanne en après-midi. Lui et son célèbre partenaire Max Fouineur s'en vont chercher la première pierre du code secret, Pilate, permettant d'ouvrir le tombeau de Jésus, dans la pyramide de Khops.

Claudine attendait pourtant ce moment depuis longtemps, elle qui avait sacrifié les dernières journées pour permettre à son conjoint de trouver le fameux code secret de la pyramide. La déception se lit facilement sur son visage empourpré.

— On dirait que tu trouves toujours un moyen de remettre nos dîners avec mes parents.

— Ce n'est pas du tout ce que tu penses, chérie. Disons que le moment n'est pas approprié, c'est tout.

— Parlons-en, du moment approprié! La dernière fois, tu disais que tu devais rédiger un article extrêmement important.

— C'était vrai aussi…

— C'était un samedi soir, Bertrand! Un samedi soir! Tu ne trouves pas que c'est un drôle de moment pour écrire un article?

— Je sais, mais j'avais une inspiration vraiment exceptionnelle, ce soir-là. Je te l'ai expliqué des dizaines de fois… On dirait que tu ne veux pas comprendre ce qu'est un cerveau de scientifique. Parfois, j'ai même l'impression que tu es de mauvaise foi.

— De mauvaise foi? Mpffff…

La grande femme habituellement douce ravale cette dernière semonce vraiment de travers, mais à cause des invités dans la maison, elle évite de faire une scène. À la place, elle plonge dans un profond mutisme, ruminant toutes les invectives qu'elle meurt d'envie de crier à la tête d'un Bertrand qui n'y connaît vraiment rien aux femmes.

— Chérie… Ne fais pas la tête, s'il te plaît. Tu sais comment je déteste me quereller… Cela nuit à ma concentration et je suis alors incapable de réfléchir correctement. Allez, un petit sourire…

Claudine réprime un sourire forcé.

— Voilà qui est mieux! lance bêtement Bertrand, comme si ce petit rictus venait d'effacer toute la colère qui gronde dans le cœur de sa tendre moitié. Allez, un petit bisou maintenant?

— Hum… Claudine… j'aimerais vraiment que tu me montres ta garde-robe. Je raffole tellement de la couture italienne! Ça te tente? s'interpose Sylvie.

Par solidarité féminine, cette dernière veut éviter à sa nouvelle amie suisse l'affront d'avoir à embrasser quelqu'un d'aussi balourd. Jamais Stéphane ne serait parvenu à lui soutirer un petit baiser après l'avoir vexée de la sorte.

— Avec grand plaisir, ma chère Sylvie. Suis-moi. Tu viens, Estelle?

— Je sais pas trop… je capote pas vraiment sur la couture, Claudine.

— Allez, Estelle… un petit effort, ma puce! Maman aimerait bien que tu viennes avec nous.

— Comme tu veux…

Les trois femmes quittent le salon, laissant Bertrand, Maxime et Stéphane comme de beaux poireaux sur le seuil de la porte.

— Pis mon bec, moi, Sylvie? quémande Stéphane, déçu d'être pénalisé aussi, sans raison. C'est pas moi qui ai parlé comme un sans-dessein!

— Parlé comme un sans-dessein? Qu'est-ce que c'est, un sans-dessein? interroge le Suisse.

— Bah… disons que c'est une forme de compliment québécois… un genre de façon de souligner l'intelligence des personnes qui savent se sortir d'une situation délicate.

— Voyons p'pa! C'est pas ça pantoute!

— Si, si, Maxime! C'est vraiment ce que ça veut dire.

— Voyons, p'pa! Tu sais bien que…

— Laisse faire ton père, OK? Ne te mêle pas de nos discussions d'adultes…

— Mais là!

— Maxime… clôt Stéphane sur un ton qui n'accepte aucune réplique.

— Alors, si je me fie à votre définition, je serais un sans-dessein, comme vous le dites si bien au Québec?

— Exactement, mon cher! Je dirais même que vous êtes un des plus grands sans-desseins de la planète! ajoute fièrement Stéphane.

— Vraiment? Vous exagérez!

— Pas du tout, Bertrand. Je suis sincère!

— Vraiment, je suis honoré, Stéphane! Merci beaucoup pour ce gentil compliment!

— Vous avez pas idée comme ça me fait plaisir de vous le dire, mon cher! Ça vient réellement du plus profond de mon cœur, croyez-moi!

— Arrêtez, Stéphane… Je suis ému… chigne Bertrand, la lèvre tremblotante et les yeux remplis d'eau. C'est le plus beau compliment qu'on m'ait jamais dit! Surtout venant de vous, cela m'émeut encore plus.

— Ben moi, c'est la première fois que je vois quelqu'un pleurer de joie après que je l'aie traité de sans-dessein! Je m'attendais vraiment pas à une telle réaction! Avoir su, je vous l'aurais dit ben avant ça!

— Qu'est-ce que tu lui aurais dit bien avant? demande Sylvie, venant d'arriver de la chambre principale.

— Comment il a le tour de parler aux femmes, chérie! Regarde, il en pleure de joie!

— Tu l'as félicité pour ce qu'il vient de dire à Claudine?

— Oui, Sylvie... renchérit le scientifique, essuyant ses joues trempées. Stéphane vient de me faire le plus beau compliment que l'on puisse dire à un homme, au Québec, semble-t-il. Selon lui, je suis un très grand sans-dessein.

— Quoi? Tu l'as traité de sans-dessein? Ben, voyons donc, Stéphane!

— Oui, oui, ma chérie... modère Stéphane d'un clin d'œil complice envers sa conjointe. Regarde comme il est fier d'être un sans-dessein! Tu viendras pas lui péter sa bulle pis dire le contraire, hein?

— Ah, c'est sûr qu'il s'est conduit comme un beau sans-dessein, il y a pas de doute...

— Bon... Laisse-le donc partir à Lausanne avec ce

beau sentiment d'allégresse, Sylvie! Comme ça, son cerveau va réfléchir beaucoup mieux, oublie pas!

— Je vais avoir besoin de votre aide, par exemple, Stéphane, souligne le scientifique.

— Mon aide? Vous voulez mon aide? Vous pis Cathy avez pas arrêté de me traiter de crétin depuis que je suis arrivé ici! Je vois pas comment je pourrais vous aider!

— Je vais avoir besoin de vos bras pour certaines occasions. Maxime a beau vouloir m'aider, il n'en demeure pas moins que ce n'est qu'un gamin. Surtout qu'avec son opération, il sera plutôt difficile de lui demander de fournir un effort constant. Avec Cathy, ça allait, nous étions trois, mais à deux, ce sera plus difficile...

— C'est sûr que Maxime peut pas forcer comme un adulte, c'est évident, raisonne Stéphane. Ouin... Qu'est-ce que t'en penses, Sylvie?

— Je pense que Bertrand a raison.

— Bon, c'est correct. Je pars avec vous. Mais à une condition...

— Allez-y...

— Que peu importe ce que je vais dire, vous me traitiez plus jamais de crétin, OK? J'ai pas envie de me faire insulter chaque fois que je vais ouvrir la bouche.

— C'est promis. Je vous jure que je vais faire attention. Je peux même vous traiter de sans-dessein à l'occasion si je vois que vous avez le moral dans les talons.

— Euh… ce sera pas nécessaire! Je trouverai bien une façon de me motiver, inquiétez-vous pas! Bon, c'est bien beau de parler, là, mais il faut aussi partir, des fois, si on veut revenir! lance le grand philosophe.

— Grand fou! Eh! que t'es drôle, toi! rigole Sylvie, en embrassant tendrement son amoureux et son garçon. Malgré les années, elle est toujours étonnée des bêtises que son conjoint peut imaginer pour la surprendre.

Le téléphone cellulaire de Bertrand vibre sur sa hanche. À la demande de Stéphane, qui déteste le bruit le matin, il fut convenu que la chanson yodle serait désactivée le matin et le soir dans la maison. Cela évitera une crise de nerfs dont Bertrand se souviendrait le reste de sa vie, foi de Stéphane! Le Suisse saisit l'appareil et le pose sur son oreille droite. Le temps d'un éclair, son visage s'assombrit…

CHAPITRE 3

Il est surprenant comme les choses changent parfois vite dans la vie. Il y a un mois à peine, Didier Letendre ne représentait qu'un vulgaire pion dans l'échiquier de son organisation. Un valet. Quelqu'un que l'on pouvait facilement remplacer par une autre crapule sans grande envergure, comme lui.

Pourtant, le Maître l'a choisi pour combler le poste vacant. Il est maintenant le numéro un de l'organisation. Bertuzzi a mystérieusement disparu. Personne, à part Monica, sa dernière petite amie rencontrée dans un pub de Milan et à qui il avait fait croire qu'il travaillait dans le commerce international de café, ne s'en est préoccupé. Voilà le cruel monde de la mafia : un jour, tu es un héros, le lendemain, tu disparais sans que personne s'en soucie. C'est la loi du milieu. Il faut l'accepter, sinon le milieu s'en occupe. Il faut être un vrai dur pour jouer dans cette ligue-là. Pas de place pour les sentiments. Seul le fric compte, point à la ligne. Pas d'amis, pas de famille ou presque, pas de morale ni de culpabilité. Seulement l'intérêt pour le fric.

Cathy et Leroy maintenant hors de service, le Maître devait trouver rapidement un successeur au Sicilien. Le temps pressait. L'organisation ne possédait pas les trois clés ni les six pierres du code de la chambre secrète de la pyramide de Chéops. Elles reposaient entre les mains de l'Ennemi, en l'occurrence Bertrand Galley et Maxime Lussier.

Letendre n'a toutefois pas eu le temps de célébrer sa nomination bien longtemps. Il ressent déjà une forte pression dans la poitrine, car il dispose de très peu de temps. Le criminel doit rapidement trouver une façon de contrecarrer les plans de l'Ennemi et s'approprier les objets convoités. S'il réussit, son avenir est assuré ; mais s'il échoue, son avenir est assurément… dans le fond d'un lac, un bloc de béton attaché aux pieds, sûrement pas très loin de Bertuzzi. Oui, un monde vraiment intransigeant.

Cela ne l'effraie pas tant que ça. Le gangster patauge dans cet univers perfide justement parce qu'il se trouve supérieur à la majorité des êtres humains. Il se sait capable d'accomplir de grandes choses, si on lui en donne les moyens. Et maintenant, il dispose de tous les moyens. Ses subalternes trembleront de peur devant ses menaces. Ils exécuteront sans doute ses ordres avec le désir caché de lui percer la peau un jour, si l'occasion se présente. Comme il l'a fait avec Bertuzzi, Leroy et Cathy. Si Bertrand Galley et son jeune acolyte ne s'y étaient pas si bien pris pour éliminer ses ex-patrons, Letendre l'aurait sûrement fait dans un avenir rapproché.

Toutefois, cela constitue de l'histoire ancienne maintenant. Son plan est prêt. L'Ennemi n'a qu'à bien se tenir…

— Mon cher Galley, vous pensiez que notre organisation vous avait oublié? Des gens importants comme vous, ça ne s'oublie pas, pourtant, raconte le fumier au téléphone cellulaire.

— Où êtes-vous, crapule? Que voulez-vous encore? s'enrage Bertrand, reconnaissant la voix du kidnappeur de ses parents.

— Quelle question ridicule, Galley. Venant d'une éminence comme vous, j'avoue que c'est un peu décevant. Vous savez très bien ce que je veux.

— Vous n'aurez rien. Je vais alerter la police, menace le scientifique.

— Vous pensez vraiment que la police peut nous arrêter, Galley? Vous vivez vraiment dans un autre monde! En fait, la police fait déjà partie de nos alliés dans cette affaire.

— Que me racontez-vous là? Vous êtes vraiment plus stupide que je pensais, ma foi.

— C'est vous qui êtes stupide, mon cher. Vous

pensez vraiment qu'il n'y a pas de policiers véreux dans le monde? Soyez un peu sérieux…

Ce dernier argument assomme Bertrand. Ce ne serait pas la première fois que la mafia et la police travaillent de connivence. Comme tout le monde, le scientifique connaît des dizaines d'histoires de policiers immoraux ayant été complices avec la mafia dans des histoires de trafic de drogue ou autres actes criminels. L'argent achète tout le monde, même les policiers.

— Bon, admettons que vous ayez raison. Que voulez-vous?

— Voyez-vous, mon cher Galley, contrairement à Leroy et Bertuzzi – que Dieu ait leurs âmes –, je suis quelqu'un de très patient. Je ne vous demande rien pour le moment. Je tenais juste à vous rappeler que notre organisation est toujours bien vivante et qu'elle ne vous laissera pas tranquille. Ma demande est fort simple : vous trouvez les six pierres du code et vous me les remettez. Si vous obéissez, tout le monde sera content et il n'y aura pas de trouble.

— Vous pensez vraiment que je vais accepter ça? Vous rêvez en couleurs, mon cher. Je vous rappelle que le gouvernement suisse est au courant de ma démarche, alors si vous croyez bêtement que je vais gentiment vous remettre les pierres du code…

— Je comprends votre arrogance, Galley. Je ferais sûrement de même si je me trouvais à votre place. Sauf que vous n'avez pas toutes les cartes en main…

— Ah non ? Comment ça ?

— En temps et lieu, mon cher Galley. Je vous le disais, je suis un homme patient… Je vous invite à faire de même. Trouvez les pierres, remettez-les-moi et tout le monde sera heureux.

— Vous bluffez. Vous ne possédez aucune carte.

— Vraiment ? Nous verrons bien. Au revoir.

— Attendez ! Merde ! Il a raccroché.

— C'était l'Ennemi ? s'enquiert Max Fouineur.

— Oui… Nous ne sommes pas au bout de nos peines, se lamente le scientifique en fermant son cellulaire de sa main droite.

CHAPITRE 4

Quelque part dans le désert du Sahara, à quelques kilomètres de Gizeh, en Égypte, une douzaine d'hommes travaillent avec acharnement depuis maintenant deux semaines. Camouflés derrière des panneaux imitation sable et munis d'instruments à la fine pointe de la technologie, ils s'activent avec une incroyable énergie à la réalisation de leur tâche. S'étant installés de nuit, ils évitent les soupçons et comme peu de gens se promènent dans cette région désertique, ils passent facilement inaperçus.

Le travail progresse bien. Si tout continue ainsi, la besogne sera terminée d'ici deux semaines. Le délai prévu sera respecté, fait plutôt inusité dans le domaine de la construction. Le contremaître, un homme imposant au teint basané nommé Mohamed Suleiman, hurle à ses ouvriers d'augmenter la cadence. Ces derniers obéissent sans rechigner.

L'instrument de forage va bon train et continue inlassablement le creusage du tunnel de deux mètres de diamètre dans le sol. Les prolétaires retirent le sable et la terre, les déversant derrière une immense dune, à l'abri des regards.

Une vraie équipe de pros. Tout est précis, calculé, planifié. Ce n'est pas le premier tunnel qu'ils creusent. Ça paraît. Il ne serait même pas surprenant que cette escouade ait creusé le fameux couloir souterrain lors du sensationnel vol de banque au Gabon, en 2005.

Oui, vraiment, une équipe de pros…

CHAPITRE 5

Lausanne, capitale du canton de Vaud, constitue la cinquième grande ville de Suisse. Endroit pittoresque et charmant, elle longe le lac Léman et offre une vue imprenable sur les Alpes de Savoie. Ses nombreuses dénivellations en font un endroit très prisé par les amateurs de randonnée pédestre.

Capitale olympique où réside le siège social du comité international olympique (CIO), Lausanne est reconnue depuis 990 après Jésus-Christ comme une des étapes de la *Via Francigena*, célèbre chemin de pèlerinage menant à Rome. La ville existe depuis plus de 6 000 ans, mais le nom *Lousonna* lui fut attribué en 15 avant Jésus-Christ.

Fait intéressant, une vieille tradition persiste toujours depuis 1405 : le guet de Lausanne. Cette coutume veut qu'un crieur, appelé le guet, annonce les heures à la criée depuis le haut d'une tour mobile en bois, le beffroi, de vingt-deux heures à deux heures du matin. Initialement, le but du guet consistait à prévenir les habitants de tout début d'incendie, mais sa vocation évolua pour devenir une attraction touristique très recherchée. Alors, quand vous séjournez à Lausanne, il ne faut pas s'étonner d'entendre crier aux quatre points cardinaux dans la nuit : « C'est le guet, il a sonné minuit ! »

Bertrand, Maxime et Stéphane arrivent en début d'après-midi, après une balade en voiture de moins d'une heure. Bertrand a déjà sa petite idée de l'endroit où il trouvera la première pierre, gravée d'un *P*.

— Où allons-nous ? s'informe Max Fouineur, ignorant tout de cette fameuse ville.

— À la cathédrale de Lausanne, Maxime. Mon instinct me dit que la première pierre s'y trouve.

— Ah oui ? Qu'est-ce qui vous fait dire ça ?

— Bah… rien de particulier, j'avoue. C'est juste que je ne vois pas d'autre endroit où les protecteurs du secret de la pyramide auraient pu la cacher. Ce serait la plus logique des options, à mon avis.

— J'imagine… Vous connaissez l'endroit ?

— Un peu. J'y suis allé quand j'étais gamin, mais ça fait une mèche de cela.

— Ça doit ben faire cent quatre-vingts ans ! le taquine Stéphane.

— Ne m'allumez pas, Stéphane !

— Ben quoi ? On peut plus s'amuser maintenant ?

C'était une blague, Bertrand. Connaissez-vous ça, en Suisse, l'humour?

— Oui, nous connaissons très bien l'humour, en Suisse, mon cher. Par contre, nous préférons davantage l'humour comique que *conique*, c'est tout.

— L'humour *conique*? Jamais entendu parler de ça…, confesse Stéphane, ne saisissant pas le jeu de mots.

— L'humour conique, c'est l'humour qui vient d'un abruti! Ce n'est pas vraiment drôle, disons! relate Bertrand, un brin de méchanceté dans le ton.

— Viens-tu de me traiter d'abruti, toi là?

— Jamais de la vie, voyons! Je parlais du poteau de clôture, dans le pré, là-bas! continue le Suisse.

— Ahhh! vous êtes *gossants* à la fin! s'impatiente Maxime.

— Ça veut dire quoi, ça, *gossant*? se renseigne Bertrand, ouvrant une magnifique porte à Stéphane.

— Ça veut dire que c'est un humour très subtil et drôle, invente Stéphane.

— Comme ça, je suis gossant?

— Vous pouvez pas vous imaginer comment!

— Arrête, p'pa! s'interpose le jeune héros, exaspéré de ce sempiternel affrontement. Non, Bertrand, *gossant*, ça veut pas dire ça. Ça veut dire que ça tombe sur les nerfs.

— Ah! Ça veut donc dire que je viens de me faire insulter, c'est ça? s'offusque le scientifique.

— Disons que c'est un à un! claironne Stéphane.

— Absolument pas, je regrette! Je vous en dois encore une! Vous oubliez les cent quatre-vingts ans…

— Là, ça va faire! Si vous pensez que je vais passer mon temps à vous endurer de même, vous êtes dans le champ, pis pas à peu près! On fait juste commencer et vous êtes déjà en train de vous insulter à tour de bras. Si c'est pour être comme ça, débarquez-moi ici immédiatement. J'aime mieux retourner à Fribourg, peste Maxime, hors de lui.

— Il n'en est pas question, Maxime. Tu restes avec moi, tranche Bertrand. S'il y a quelqu'un qui doit partir, c'est lui.

— Je demande pas mieux, ma tranche de gouda fumé! Je vous rappelle que c'est pas moi qui ai insisté pour me joindre à vous. Ça fait que si vous préférez que je vous laisse tout seuls, ça me fera le plus grand des plaisirs!

— Je ne demande pas mieux que de vous larguer ici, mon cher!

— C'est assez! rugit Maxime, hors de ses gonds.

Le puissant cri installe instantanément un silence morbide dans l'automobile. Le climat s'alourdit et la tension se coupe au couteau. Chacun rumine en silence dans son coin, cherchant la phrase qui tue.

Bertrand se mordille les lèvres afin de ne pas piquer une colère mauve, Stéphane bouillonne sur son siège, ne voulant pas déplaire à son fils, et Maxime rage de ne pas pouvoir quitter le véhicule en toute liberté.

Le mutisme persiste une bonne quinzaine de minutes. L'automobile déambule brusquement dans les rues lausannoises et s'arrête dans un stationnement près de la grande cathédrale.

— Je pense que le moment est venu d'avoir une bonne discussion, souffle finalement Bertrand, du feu dans le regard.

— Je demande pas mieux! rétorque Stéphane, des fusils à la place des yeux.

— Je pense aussi que si on veut réussir notre mission, on n'a pas le choix, philosophe Maxime, redevenu calme.

La discussion dure environ une vingtaine de minutes. Les deux hommes lavent leur linge sale et mettent les points sur les *i*. Le ton monte à plusieurs reprises, mais Maxime modère les ardeurs et réussit à calmer les deux bouillants caractères. Une fois les frustrations passées, les deux hommes conviennent de faire la paix et de travailler conjointement à la réussite de l'objectif. Une franche et solide poignée de main met un point final à l'échange. La hache de guerre est enterrée, au plus grand plaisir de Maxime.

CHAPITRE 6

*D*idier Letendre ressent un grand inconfort. Auparavant, Leroy servait d'intermédiaire entre l'organisation et le Maître, mais comme il mange dorénavant les pissenlits par la racine, Letendre doit se familiariser rapidement avec la langue italienne, qu'il maîtrise à peine. Il connaît bien des Italiens, mais il n'a jamais cru bon d'apprendre les rudiments de leur langue, se contentant de dire : *buongiorno, si, non, d'accordo* et *rivedere* ou *ciao*.

Par contre, cette fois-ci, il devra répondre à des questions et donner la bonne information à son supérieur. Un malentendu, une erreur de traduction ou une mauvaise prononciation pourraient lui causer énormément d'ennuis. De très gros ennuis, s'entend. Voilà pourquoi il garde constamment son traducteur électronique français-italien à portée de la main. Avec cet appareil, il trouvera plus rapidement le mot recherché.

Le téléphone sonne à quatorze heures pile, comme prévu. Sa main droite tremble lorsqu'il décroche le combiné noir, sur le luxueux bureau fait de bois d'ébène de Macassar. Une perle de sueur se forme sur son front et coule jusqu'à l'arête de son nez aquilin.

— *Buongiorno, cardinale Spina.*

— *Buongiorno, Letendre. Come state?*

— *Ben, cardinale, e voi?*

— *Ben, grazie. Avete parlato a Galley?*

— *Si.*

— *Accetta di collaborare?*

— *Si,* répond nerveusement Letendre au cardinal, même si en fait, Galley n'a toujours pas dit qu'il collaborerait avec lui.

— *Buone notizie,* se réjouit le cardinal Spina en apprenant cette bonne nouvelle. *Come vanno i lavori in Egitto?*

— *Tutto va così previsto,* le rassure Letendre à propos des travaux dans le désert, en Égypte.

— *Eccellente, Letendre. Sapete, non dobbiamo faillire, questa volta,* souligne le cardinal, rappelant à son lieutenant l'importance de ne pas échouer cette mission.

— *So, cardinale.*

— *Cathy e Leroy sono falliti. Non possiamo permetterci di faillire un'altra volta,* remâche l'Italien à Letendre, qui saisit très bien l'allusion : il ne dispose d'aucune marge de manœuvre.

— *Il moi piano è perfecto. Riusciremo, questa volta,* lui répond Letendre, tentant de le convaincre de la réussite de son plan.

— *Vi auspico, Letendre. Il vaticano ha speso molto denaro in questo progetto,* rappelle le haut-placé du clergé, soulignant que le Vatican a investi beaucoup d'argent dans ce projet.

— *Non saranno deluso, cardinale Spina,* promet le criminel.

— *Lo spero, Letendre. Lo spero.*

CHAPITRE 7

Construite sur la colline de la Cité, la cathédrale protestante Notre-Dame de Lausanne domine la ville. D'allure gothique, elle date du XIIIe siècle et fut baptisée *Notre-Dame* en l'honneur de la Vierge Marie en 1275, en présence de l'empereur Rodolphe de Habsbourg et du pape Grégoire X. Au Moyen Âge, elle incarnait un haut lieu de pèlerinage dans toute l'Europe.

L'intérieur de la cathédrale offre un spectacle tout simplement hallucinant : ses nombreuses verrières, exprimant la vision médiévale de l'époque, nous montrent un Dieu Créateur à travers divers thèmes, tels que la terre et la mer, l'air et le feu et les saisons. Ses nombreuses arches dorées au plafond et ses magnifiques colonnes plongent les visiteurs dans une profonde ambiance de quiétude. Ce lieu incite vraiment à la réflexion.

— C'est vraiment magnifique ! échappe Stéphane, impressionné.

— Trop cool! ajoute Maxime, époustouflé. J'ai jamais vu une aussi belle église!

— Ce n'est pas une église, Maxime. C'est une cathédrale, reprend Bertrand à voix basse.

— Église ou cathédrale, c'est du pareil au même pour moi, chuchote le jeune Drummondvillois, les yeux toujours fixés sur les magnifiques verrières.

— Pas vraiment, Maxime. Une cathédrale est une église pour un diocèse, tandis qu'une église n'est que pour un village ou une ville.

— Pour moi, il y a pas de différence.

— Pourtant, la différence est énorme! s'enflamme le scientifique, parlant un peu plus fort. Je vois bien que tu n'es pas très fort dans ce domaine.

— C'est pas sa faute, Bertrand. Comme ben des jeunes au Québec, Maxime pratique plus tellement sa religion à l'église. Disons que les églises ont perdu pas mal de leur popularité dans notre pays. C'est même rendu qu'on vend des églises pour en faire des condos ou autres projets domiciliaires, explique Stéphane à voix basse pour excuser l'ignorance de son fils.

— Jamais nous n'oserions vendre nos cathédrales! Ce sont des monuments historiques, ici! Ce serait un sacrilège épouvantable! s'emporte le bouillant Suisse, parvenant difficilement à baisser le ton.

— Choquez-vous pas, Bertrand! tempère Stéphane.

Au Québec, la religion a été pendant plusieurs années l'âme du peuple. Mais à cause de la Révolution tranquille, dans les années soixante, pis du mouvement féministe, qui prônait l'égalité des sexes, dans les années soixante-dix et quatre-vingt, le catholicisme s'est rapidement essoufflé. Le clergé pouvait plus contrôler le peuple comme avant. Tiens, juste pour vous donner un exemple, ma mère s'est fait refuser l'absolution par le curé qui la confessait, juste parce qu'elle avait refusé d'avoir un onzième enfant! C'est grave, hein? Pendant très longtemps, la religion catholique avait une mainmise totale sur le peuple, mais les gens se sont révoltés pis après ça, sa popularité a jamais cessé de baisser.

— Nous vivons sensiblement le même phénomène ici, sauf que nous gardons un profond respect pour les monuments qui ont traversé les siècles, contrairement à vous, je dirais, explique Bertrand.

— Vous avez sans doute raison, sauf que nous, on n'a pas une histoire aussi riche et vieille que la vôtre. Vous savez, le Canada, c'est encore un pays très jeune, comparé au vôtre.

— C'est vrai que notre pays est beaucoup plus vieux. Les vestiges du passé demeurent probablement plus ancrés dans nos mœurs.

— Je suis pas sûr de ben vous comprendre, là, mais j'imagine que vous avez tous les deux raison. Sauf que ça nous avance pas beaucoup pour trouver la première pierre! s'interpose Maxime en chuchotant, complètement déboussolé par cette conversation platonique.

— Tu as bien raison, Maxime, reconnaît Bertrand. Il faudrait trouver quelqu'un qui pourrait nous donner un indice.

— C'est pas compliqué, Bertrand. Laissez-moi faire.

Stéphane aborde un pasteur qui est en train d'expliquer la symbolique des toiles liturgiques à des touristes.

— Pardon, mon père. Excusez-moi de vous déranger… Pourriez-vous me dire où se trouve la première pierre du code de la chambre secrète de la pyramide de Khops?

— Pardon? sursaute le pasteur.

— La première pierre du code secret de la chambre où est enterré Jésus! Me semble que c'est pas dur à comprendre, ça! Coudonc, je parle-tu si mal que ça, moé, tab…?

— Excusez-le, mon père! s'interpose rapidement Bertrand, avant que Stéphane ne fasse un vrai fou de lui. Mon ami vient d'arriver du Québec. Le décalage horaire le chamboule encore un peu, je dirais…

— Comment ça, le décalage horaire me chamboule? M'as t'en faire un décalage horaire, moé!

— P'pa! Rappelle-toi ta promesse, dans l'auto…

— Oui, oui, je sais, je sais… Je vais faire attention pour pas vous mettre dans le trouble. Je voulais juste faire accélérer les choses, c'est tout. Pourquoi tourner des heures autour du pot? On veut trouver là première pierre, oui ou non?

— De quoi parle-t-il? s'informe le pasteur, complètement déboussolé.

— Ne vous arrêtez pas à ce qu'il dit, mon père. Mon ami aime faire des blagues, improvise Bertrand.

— Bien alors, dites-lui de les retravailler! lance le pasteur, furieux. Je suis occupé, moi, monsieur. Je n'ai pas vraiment de temps à perdre à entendre de stupides blagues.

— Il ne recommencera plus, promet Bertrand, jetant un regard accusateur vers Stéphane.

— Je vais faire attention, mon père, s'engage Stéphane, honteux.

Les trois aventuriers poursuivent leur promenade dans la cathédrale, admirant ses beautés et ses richesses. Toutefois, ils ne trouvent aucun indice leur permettant de trouver la fameuse pierre.

— Nous ne trouverons rien ici, estime Bertrand, un peu découragé. Si j'avais au moins un petit indice…

— Vous êtes sûr que la pierre se trouve ici? demande Max Fouineur, reprenant du service.

— Non, j'ai seulement une intuition. Le message ne dit pas clairement que la pierre se trouve ici. Ce serait pourtant l'endroit tout désigné pour la cacher, je pense.

— Vous avez probablement raison, reconnaît le jeune détective, peu convaincant.

Pourtant, s'ils savaient comme ils sont près du but…

CHAPITRE 8

Le jeune pasteur, légèrement paniqué, demande nerveusement congé à son groupe de touristes et se dirige en toute hâte vers l'autel de la cathédrale. Il fonce vers une des portes situées derrière l'autel et entre dans un labyrinthe de corridors étroits et peu éclairés qui monte sans cesse. Après un parcours d'une quarantaine de secondes, il cogne énergiquement à une porte en chêne massif, ornée de magnifiques sculptures représentant différents symboles religieux de l'époque médiévale.

— Entrez! fait une voix à peine audible de l'autre côté de la porte, dû à l'épaisse cloison qui la sépare du jeune pasteur.

— Pardonnez-moi de vous déranger, monsieur le ministre, mais je pense que cela en vaut la peine.

— Vraiment, frère Olivier? Que se passe-t-il donc, au juste?

— Bien, j'étais à expliquer la signification de la toile de la dernière Cène à des touristes espagnols quand un homme avec un fort accent chantant m'a demandé si je connaissais l'endroit de la première pierre du code de la chambre secrète de la pyramide de Khops.

— Vous voulez dire Chéops, frère Olivier.

— Je sais que c'est la pyramide de Chéops, monsieur le ministre, mais l'homme a bel et bien prononcé « Khops ».

— C'est impossible. Peu de gens connaissent ce nom…

— J'en suis conscient, mais c'est exactement ce qu'il a dit, je vous jure.

— Je vous crois, frère Olivier. Vous incarnez l'honnêteté en personne. Est-ce que l'homme vous a demandé autre chose à propos de la pierre?

— Non, monsieur le ministre. Cependant, un autre homme, d'origine suisse je dirais, s'est interposé et a promptement mis fin à la discussion, prétextant que son ami blaguait.

— Ce n'est pas le genre de blague que l'on fait habituellement… On ne rit pas avec des choses aussi importantes.

— Je partage votre opinion.

— C'est tout? Il y a autre chose?

— Euh… Ah oui, il y avait un jeune garçon avec eux.

— Un jeune garçon? Quel âge?

— Je dirais une douzaine d'années.

— Merci, frère Olivier. Vous pouvez retourner à votre travail. Je m'occupe de cela, conclut le ministre, songeur, avec raison…

CHAPITRE 9

Après une visite d'une vingtaine de minutes, Bertrand, Maxime et Stéphane quittent l'enceinte de la cathédrale de Lausanne. Ils n'ont trouvé aucun indice. Bertrand a pourtant pris bien soin d'observer chaque toile, chaque sculpture et chaque vitrail, espérant y dénicher un mot, une image ou un symbole quelconque pouvant le mener à sa fameuse conquête. Rien. En apparence, bien sûr. Comment trouver quelque chose que l'on ne connaît pas dans un endroit aussi peu familier? Chercher une aiguille dans une botte de foin aurait été cent fois plus facile!

Les trois explorateurs descendent les marches centrales de la cathédrale et se dirigent vers l'automobile de Bertrand. Comme ils l'atteignent, une voix essoufflée les fait sursauter :

— Excusez-moi, messieurs. Puis-je vous parler un instant? halète le pauvre ministre, dont le manque évident d'exercice fait battre le cœur à deux cents pulsations à la minute.

Le septuagénaire fait signe d'attendre une minute avec son index droit, puis se penche pour essayer de reprendre son souffle. Cela lui semble extrêmement difficile. Stéphane appréhende de le voir faire une crise cardiaque sous ses yeux. Cela lui ramène un bien mauvais souvenir.

Stéphane Lussier fut déjà témoin d'une crise cardiaque en direct, à la télévision. Cela le traumatisa énormément à l'époque. John McSherry, qu'il s'appelait. Il avait été mandaté pour arbitrer derrière le marbre lors du match inaugural des Expos de Montréal, à Cincinnati, en 1996. Au septième lancer de la partie, l'homme imposant demanda un temps d'arrêt sans raison et tenta de se diriger vers l'abri des Reds, mais ne s'y rendit jamais. Il s'écroula lourdement sur le sol pour ne jamais se relever. Tout cela en direct, à la télévision. Les soigneurs des deux équipes se ruèrent vers lui pour lui prodiguer les premiers soins, mais rien n'y fit. La partie fut évidemment annulée et cela affecta tous les joueurs et spectateurs réunis au stade Riverfront. Ce qui s'annonçait au départ une journée de célébrations se transforma en une journée de deuil. Méchante différence.

Voir la mort en direct chavira profondément Stéphane. Comme il tenait Maxime dans ses bras à ce moment pour lui donner le biberon, le paternel transmit inconsciemment cette phobie de voir la mort en direct à son fils. Cela expliquerait la violente réaction de son fils lors de l'assassinat gratuit du touriste japonais au Kulmhotel Gornergrat.

Péniblement, le ministre reprend son souffle, mais doit souvent faire des pauses entre ses mots, l'hyperventilation faisant toujours son œuvre.

— Je… Vous… Vous êtes à… à la recherche… d'une pierre… spéciale… n'est-ce pas ? finit-il par dire.

— Qui êtes-vous ? demande Bertrand, suspicieux.

La trop courte réponse de Bertrand désappointe le vieil homme. Cela ne lui laisse guère le temps de reprendre son souffle, comme il l'aurait souhaité.

— Je… Je suis le ministre… de… de la cathédrale. Je… je m'appelle Robert… Robert Bouvier.

— D'accord. Je suis Bertrand Galley, de l'université de Genève, et voici deux de mes amis, Stéphane Lussier et son fils Maxime. Ils viennent du Québec, au Canada.

— Ah, le Canada… J'ai un cousin qui demeure là-bas…

— Vous savez quelque chose sur la pierre que nous cherchons ? vérifie Bertrand.

— Suivez-moi, les invite le vieil homme, haletant.

— Où allons-nous ? s'inquiète le scientifique.

— Suivez-moi.

Le quatuor retourne lentement vers la cathédrale, marchant au rythme du pauvre ministre qui ne parvient toujours pas à reprendre son rythme respiratoire. Graduellement, son pouls se stabilise et son teint redevient de plus en plus pâle, lui procurant enfin un peu de répit. Cependant, la montée de l'escalier ne l'aide pas! À deux reprises, il oblige ses invités à s'arrêter au milieu des marches pour reprendre son souffle. Finalement, il les emmène jusqu'à son magnifique bureau. Le religieux s'assoit lourdement dans son fauteuil rembourré, où il retrouve enfin son confort habituel.

Deux minutes plus tard, le ministre respire calmement. Son exercice est fait pour la prochaine année!

— Messieurs, le frère Olivier m'a informé de votre demande à propos de la première pierre du code de la chambre secrète de la pyramide de Chéops. Est-ce exact?

— Khops, sauf votre respect, monsieur le ministre, reprend Bertrand. Pas Chéops. Khops.

— Je sais, je sais. Je voulais seulement m'assurer que je m'adressais aux bonnes personnes. Vous savez, monsieur Galley, peu de gens dans le monde savent que la pyramide devrait s'appeler Khops au lieu de Chéops. Ceci m'en révèle beaucoup sur vous.

— En effet, monsieur le ministre. Peu de gens savent cela. Disons que je me suis pas mal penché sur le sujet au cours des dernières années.

— Et vous avez trouvé le fameux code qui donne accès à la chambre secrète de la pyramide ?

— Comment savez-vous ? sursaute Bertrand.

— Je le sais, c'est tout, monsieur Galley.

— Peu de gens savent que je possède le code secret, pourtant… s'indigne le scientifique.

— Nous ne sommes pas beaucoup à le savoir, en effet. Mais comme je connais l'endroit où se trouve la première pierre, je juge normal d'être avisé d'une information aussi importante.

— Qui vous a informé de cela ? essaie Bertrand.

— Je serais bien stupide de vous révéler ma source, avoue le vieux rusé, mais si vous vous posez la question sérieusement, vous finirez bien par trouver de qui je tiens cette information. Mais là n'est pas la question pour le moment, n'est-ce pas ? Je pense que c'est la pierre qui vous intéresse le plus, pas vrai ?

— En effet, avoue honnêtement le savant. Où se trouve la première pierre ?

— Pas si vite ! Vous croyez que je vais vous dire où elle se trouve comme ça ? Un peu de sérieux, monsieur Galley ! Je ne veux pas remettre cette précieuse pierre à n'importe qui. Qui me dit que vous n'êtes pas de dangereux criminels ?

— Vous avez raison d'être prudent, monsieur le

ministre. Nous pourrions en effet être des gens mal intentionnés, c'est vrai. Voyez-vous, nous venons justement d'échapper à une organisation criminelle qui recherche aussi cette fameuse pierre. Même qu'elle est encore à nos trousses.

— Alors, pourquoi devrais-je vous la donner, si c'est pour la remettre à des mains criminelles par la suite? se questionne le vieil homme aux cheveux gris.

— Nous n'avons pas l'intention de la remettre à nos ennemis, monsieur le ministre. Soyez sans crainte là-dessus. Je travaille pour le gouvernement suisse et je dispose de la protection de la police en tout temps.

— Je veux bien vous croire, monsieur Galley, mais rien ne me prouve que vous me dites la vérité. Vous savez, les grands criminels sont souvent de très habiles manipulateurs.

— Je peux vous le prouver, monsieur le ministre.

Bertrand sort son téléphone cellulaire et compose le numéro du président de la Suisse.

— Monsieur le président? Galley à l'appareil. J'aimerais que vous confirmiez à la personne que je vais vous passer dans un instant que nous sommes des gens dignes de confiance. C'est primordial, monsieur le président. D'accord. Merci!

Galley tend le cellulaire à Bouvier. Ce dernier hésite un moment, puis s'en empare.

— Bonjour... Oui... Je vous reconnais, monsieur le président. Robert Bouvier, ministre de la cathédrale de Lausanne. Enchanté, monsieur le président. Comme ça, monsieur Galley et ses deux amis sont des gens dignes de confiance? Vous m'en voyez réconforté. Je me disais aussi... qu'un jeune homme de cet âge ne pouvait pas être un dangereux criminel... Mais on n'est jamais assez prudent, n'est-ce pas? Oui, monsieur le président, je vais collaborer. D'accord, monsieur le président. Je vous remercie. Au revoir.

Le vieil homme rend le cellulaire à Bertrand.

— Veuillez m'excuser pour mon incrédulité, monsieur Galley, mais comprenez que je suis responsable de cette pierre et que je dois éviter de la remettre à des mains criminelles. Dieu seul connaît les intentions de ces personnes peu recommandables.

— Je comprends parfaitement votre position, monsieur le ministre. Soyez assuré que j'en ferai bonne mention à vos supérieurs, si jamais ils m'interrogent à votre sujet.

— Ce serait très gentil de votre part. Suivez-moi, messieurs.

Le septuagénaire s'engage dans les corridors de la cathédrale, véritable labyrinthe dont Max Fouineur ignore l'issue. Le jeune agent secret repense au film *Astérix et Cléopâtre,* dans lequel Astérix et Obélix doivent suivre un guide égyptien lors de leur visite dans la grande pyramide. Tournevis, le méchant guide, les avait volontairement semés afin qu'ils périssent dans le funeste lieu. Heureusement, Idéfix, le petit chien d'Obélix, leur avait permis d'en sortir afin de recevoir l'os promis par son maître!

Sauf qu'ici, dans le labyrinthe de la cathédrale de Lausanne, il n'y a aucun Idéfix pour les sauver! Et même si Timi, qui ressemble comme deux gouttes d'eau au petit chien gaulois, avait été là, il se serait couché quelque part dans un coin et les aurait attendus pendant deux mois! On repassera pour le chien héroïque!

Le quatuor arrive finalement dans le sous-sol de la cathédrale. L'endroit est sombre et une forte odeur d'humidité agresse immédiatement les narines de nos trois visiteurs. Heureusement, la propreté règne dans les lieux. Plusieurs vestiges bibliques, telles statues d'anges, de la Vierge Marie et de Jésus, jonchent le sol ici et là. Des vases, des urnes et des coffres s'empilent et forment de très vacillantes montagnes.

Maxime et son père n'en reviennent pas de voir toutes ces richesses cachées dans un lieu aussi lugubre.

— Comment se fait-il que toutes ces belles choses soient enfermées ici? demande Stéphane.

— Bah… Ces objets ne valent rien, vous savez, répond machinalement Bouvier. Vous en trouverez dans toutes les églises d'Europe. Elles ne valent pas plus de mille euros chacune…

— Mille euros? C'est de l'argent en *ta*, ça! Non? bondit Stéphane, éberlué.

— En effet, cela représente beaucoup d'argent, admet sans grande conviction le vieux religieux, mais quand vous possédez des milliers d'œuvres valant plus d'un million chacune, le choix se fait de lui-même.

— Crime, vous êtes ben riches en Suisse! Je vais les prendre, moi, si vous les voulez plus! Je ferais une méchante vente de garage avec ça, je vous jure! lance stupidement Stéphane.

— Ben là, p'pa! jappe furieusement Maxime, peu fier de l'idée saugrenue de son père.

— Qu'est-ce que c'est, une vente de garage? s'informe le ministre, comprenant toutefois la vraisemblable stupidité des propos de Stéphane.

— Ne portez pas trop attention à ce qu'il dit, monsieur le ministre. Mon ami québécois aime souvent faire des blagues d'un goût un peu douteux, fustige Bertrand, un brin courroucé. Je ne sais pas trop ce qu'est une vente de garage, je l'admets, mais je ne suis pas sûr de vouloir en connaître la définition.

— Ben quoi? Moi, je trouve que c'est une excellente idée! Voulez-vous que je vous dise qu'est-ce qui est ridicule? Ce qui est ridicule, c'est de laisser moisir de l'argent comme ça dans un sous-sol d'église. Nous autres, au moins, au Québec, on sait quoi faire dans nos sous-sols d'églises : on fait des bingos!

— Ahhh… arrête, p'pa! C'est pas le temps ni la place! martèle Maxime, de plus en plus honteux.

— Ben quoi? C'est le fun, des bingos, me semble! Vous saurez que j'ai gagné un beau *set* de coutellerie en or plaqué vingt-quatre carats la dernière fois que j'ai joué! s'offusque Stéphane, complètement dans les patates.

— Un, de l'or plaqué vingt-quatre carats, ça n'existe pas, et deux, vos histoires de bingo ne nous intéressent pas du tout, l'assomme Bertrand, essayant de se retenir, comme il l'avait promis.

— Ben moi, elles m'intéressent, OK? fulmine Stéphane, sur le bord de la crise de nerfs.

— P'pa! C'est assez! Arrête! Qu'est-ce que tu fais de ta promesse? proteste Maxime, exaspéré par cette puérile envolée paternelle.

— C'est ben parce que j'ai promis de plus me fâcher que je vais le faire, Maxime. Mais laisse-moi te dire que j'aurais comme une grande envie de percer quelques trous dans un certain fromage…

— Ne me cherchez pas, Stéphane… s'énerve Bertrand, se retenant du mieux qu'il le peut.

— Allons, allons, messieurs… un peu de calme, s'il

vous plaît, semonce le ministre. Rappelez-vous que vous êtes dans la maison du Seigneur. Faites preuve de miséricorde…

— *Faites preuve de miséricorde… Faites preuve de miséricorde… J'aimerais ben vous voir à ma place, moi, vieux schnock! J'aurais ben plus envie de lui donner de la misère avec une corde, au gouda fumé!* marmonne Stéphane en penchant la tête pour ne pas être compris.

— Qu'est-ce que tu as dit? Répète! se pompe le scientifique, se doutant bien que cette dernière remarque imperceptible lui était destinée.

— Je faisais une petite prière au Seigneur pour qu'il m'aide à être un peu plus miséricordieux envers mon entourage, lance Stéphane, fier de sa réplique.

— Menteur! vocifère le scientifique.

— Mon cher Bertrand… ce n'est pas bien de se choquer comme ça dans la maison du Seigneur! clame Stéphane, triomphant. Vous savez quoi? Vous devriez faire une petite prière, vous aussi, pour demander au Seigneur de vous rendre plus miséricordieux, comme moi!

— Mpffffff…

— Voilà, nous y sommes, dit Bouvier, devant une porte d'acier verrouillée.

Le vieil homme tourne lentement la poignée de fer…

CHAPITRE 10

Mohamed Suleiman et son équipe travaillent d'arrache-pied depuis six heures du matin et termineront probablement vers sept heures ce soir, encore une fois. Les journées sont longues et éreintantes, mais cela fait partie de leur quotidien depuis un bout de temps déjà. La chaleur est accablante. S'ils ne portaient pas régulièrement ces masques à oxygène, lui et ses hommes s'asphyxieraient sans aucun doute.

Pourtant, personne ne se plaint de son sort. Tous ont accepté d'accomplir cette mission sur une base volontaire : un, elle était très payante, et deux, elle exauce la volonté d'Allah.

Le tunnel se prolonge maintenant sur plus d'un kilomètre, soit la moitié de l'objectif initial. Les travaux avancent rondement grâce à une puissante vrille qui avale tout sur son passage et qui évacue la terre et les roches par un ingénieux système de dalles jusqu'à l'embouchure principale. Ce mécanisme

a beau avoir coûté une véritable fortune, cela ne cause aucun problème aux têtes dirigeantes du projet,
d'importants magnats du pétrole. Ces derniers étant
habitués d'amasser des centaines de millions de dollars par semaine, ce ne sont sûrement pas quelques
petits millions dépensés dans une machinerie de
haute technologie qui vont les déranger. Surtout
qu'ils sont parvenus à arracher une somme considé-
rable à l'organisation qui les a embauchés pour mener ce projet à bon port.

Si tout se passe comme prévu, le tunnel devrait
être terminé dans dix jours. Rien ne laisse croire
qu'ils échoueront. Pourtant…

Chapitre 11

Le ministre Bouvier cherche nonchalamment la clé de la porte d'acier dans son imposant trousseau. Il regarde chacune d'elles, hésitant une fraction de seconde chaque fois, essayant de se remémorer sa fonction. Vers la vingtième, il pousse un petit soupir de satisfaction et l'isole entre son pouce et son index. Calmement, il l'insère dans la serrure et la tourne, obtenant un « clic » réconfortant. Il essaie de tourner la vieille poignée en fonte, mais sent une forte résistance.

— Elle semble coincée. Ça doit être à cause de l'humidité, souffle-t-il entre deux efforts.

— Laissez-moi faire, monsieur le ministre, s'impose Bertrand. Vous avez déjà puisé dans vos réserves d'énergie tantôt. Ce serait plus sage de laisser la place à quelqu'un de plus jeune.

Cette dernière réplique froisse l'orgueil du vieil homme. S'il avait eu l'âge de Bertrand, il aurait facilement défoncé la porte, mais rendu à son âge, la force herculéenne qu'il possédait jadis l'a quitté. Non sans amertume, il cède sa place au scientifique.

— Faites attention, prévient Bouvier. J'ignore ce qui se cache exactement derrière cette porte, à part la pierre.

— Que voulez-vous dire? Vous n'avez jamais ouvert cette porte auparavant? C'est insensé! s'indigne Bertrand, qui aurait été incapable de résister pendant une si longue période de temps.

— Vous savez, monsieur Galley, je suis le ministre de la cathédrale depuis plus de vingt ans. Mon prédécesseur n'a jamais ouvert cette porte et je suis persuadé que tous ceux avant lui ne l'ont pas fait non plus. Il fut convenu, d'aussi loin que je me souvienne, que cette porte resterait toujours fermée et ne serait ouverte qu'en présence d'une personne jugée digne de mention. Voilà pourquoi nous avons pu préserver la pierre pendant tant de siècles. Nous connaissions son importance. Elle ne devra jamais tomber entre de mauvaises mains, sinon les répercussions seraient extrêmement dévastatrices. Je vais prier pour que Dieu vous protège.

Bertrand s'y prend à trois reprises avant de faire céder la lourde porte. Mû par son dernier élan, le scientifique entre en trombe et s'emprisonne dans un épais amas de toiles d'araignées. Les fils de soie se collent à lui et l'empêchent de manœuvrer à sa guise.

Il doit se débattre comme un diable dans l'eau bénite pour enlever tous ces fils envahissants.

— Ça va, Bertrand ? s'inquiète Maxime.

— Oui, oui, ça va ! Il y a seulement un million de fils d'araignées sur moi ! Mais à part ce petit détail, tout va à merveille ! rassure le scientifique.

— Voyez-vous quelque chose ? s'informe le ministre.

— Pas vraiment. C'est vraiment très sombre ici. Vous avez une lampe de poche ?

— Mieux que ça. Attendez un instant, lance le ministre, quittant les lieux.

Une vingtaine de secondes plus tard, le religieux revient avec une puissante lampe électrique jaune sur trépied, branchée dans une génératrice à quelques mètres de là.

— Voilà. Avec ça, vous aurez suffisamment de lumière pour éclairer la pièce, dit fièrement le ministre, satisfait de son idée.

— Parfait. Posez-la par terre, près de la porte, suggère Bertrand.

Le vieil homme s'exécute. Le puissant faisceau blanc illumine totalement la sombre pièce. À cet instant, Bertrand pousse un cri de stupeur : un squelette humain gît par terre, un petit bout de papier jauni traînant à quelques centimètres de lui. Bertrand se penche pour le ramasser et le lit.

— Qu'est-ce qu'il y a d'écrit? s'enquiert Bouvier.

— Laissez-moi le temps de le lire, quand même! s'emporte le bouillant scientifique.

— Désolé!

Bertrand scrute le manuscrit, balbutiant quelques mots ici et là. Soudain, il tourne vivement la tête vers sa droite, cherchant quelque chose du regard.

— Et puis? Qu'y a-t-il d'écrit? répète le septuagénaire.

— Le message raconte que la pierre se trouve derrière le mur de pierres, au fond de la pièce.

— C'est tout?

— Oui, j'en ai bien peur.

Bertrand s'avance vers le mur. Ce dernier n'offre aucun indice marquant, à part deux dessins gravés à l'aide d'un objet contondant. L'un des dessins représente un arc et une flèche et l'autre, une pyramide avec un point en son centre. Le chiffre 1561 est gravé en petits caractères, en bas, à droite de la pyramide, ainsi que les lettres H. G.

— Guillaume Tell et la pyramide de Khops, en déduit Bertrand. Venez voir, vite!

Max Fouineur arrive en premier, suivi de Stéphane et du ministre Bouvier. Les trois curieux scrutent le mur à la loupe, émerveillés de voir une telle découverte.

— C'est incroyable! Regardez la précision! On croirait voir des œuvres d'art sculptées par un grand artiste. Mais pourquoi sont-elles dans un endroit si peu fréquenté? Pourquoi se donner tout ce mal si personne ne peut les apprécier? échappe Bertrand, ébloui devant tant de beauté.

— Je l'ignore, admet Bouvier, tout aussi émerveillé. J'imagine que cet artiste savait qu'un jour, quelqu'un viendrait dans cette pièce. Je ne saurais trop dire…

— Chose certaine, c'est super beau! s'exclame Maxime.

— C'est vrai que c'est pas mal beau, approuve Stéphane. Faudrait ben que j'embauche cet artiste pour qu'il vienne graver mon visage sur la cheminée de notre foyer, à Saint-Charles…

Trois physionomies découragées se retournent instantanément pour dévisager l'imbécile qui vient de lancer une telle bêtise.

— Ben quoi? C'était juste une idée comme ça! Il serait pas obligé d'accepter! se cale davantage l'hurluberlu.

— P'pa! C'est écrit 1561… Ça t'allume pas une petite lumière, ça?

— Hum… Ah! Ben oui! 1561! C'est vrai, il doit être mort, le pauvre! déduit le brillant père de Maxime.

— Il est toujours débile comme ça? murmure le ministre Bouvier à l'oreille de Bertrand.

— J'en ai bien peur, monsieur le ministre. Je n'y peux rien. Désolé, confie le scientifique, désabusé.

— Ne soyez pas désolé, mon cher. C'est plutôt lui qui devrait être désolé, pas vous!

— Je ne suis même pas sûr qu'il soit conscient de sa débilité. Vous savez, il faut une certaine dose d'intelligence pour réaliser cela.

— Vous avez raison. Ce n'est pas avec ce qu'il vient de dire qu'il va me convaincre qu'il est un être pourvu d'intelligence, termine Bouvier.

— De quoi parlez-vous? s'interpose Stéphane, soupçonnant d'être le sujet de la conversation.

— Rien de bien important, dit Bertrand, sans le regarder. Nous discutions de ces œuvres d'art.

— En chuchotant? C'est pas très subtil, votre affaire! s'emporte le Drummondvillois.

— Question subtilité, vous n'êtes pas vraiment le mieux placé pour me faire la leçon! s'insurge le Suisse.

— Eille! Qu'est-ce que vous avez promis? rappelle Maxime, pour calmer les ardeurs des deux coqs.

— Désolé, Maxime. Je me suis encore laissé emporter. Je vais faire attention, s'excuse Bertrand.

— Je vais faire attention, moi aussi, promet Stéphane.

— Bon, qu'est-ce qu'on fait, maintenant? vérifie Max Fouineur, toujours prêt à poursuivre l'enquête.

— Il faut trouver un moyen de traverser ce mur, mais comment ? se questionne le scientifique.

— Facile ! Vous avez juste à ouvrir la porte ! lâche Stéphane.

— Vous aviez promis d'arrêter, bordel de merde ! éclate Bertrand, n'en pouvant plus des âneries de son collègue.

— Il a raison ! s'exclame Max Fouineur.

— Quoi ? T'oses dire que je dis des niaiseries, maintenant ? se choque le paternel, ne s'attendant certainement pas à ce que même son propre fils appuie les dires de Bertrand.

— Hein ? Ben non, p'pa ! J'ai jamais dit ça ! Je parlais du mur ! T'as raison, il doit sûrement y avoir une porte quelque part !

— Il me semblait ben aussi que ce que je disais avait de l'allure ! s'enorgueillit Stéphane, se bombant le torse.

— En effet, ça pourrait avoir un certain sens, reconnaît timidement Bertrand, peu convaincu.

— Essayons de trouver des interstices dans le mur, suggère le ministre Bouvier.

Le quatuor tripote le mur de pierres, espérant y dénicher une fente, une penture ou toute indication démontrant l'existence d'une porte. Rien. Pas une seule anomalie. Définitivement, il faut chercher ailleurs pour passer au travers du mur.

— Vous avez une masse ou une pioche, monsieur le ministre ? s'informe Bertrand.

— Vous n'allez tout de même pas croire que je vais vous laisser briser ce mur ! C'est une œuvre d'art ! s'objecte le septuagénaire.

— Vous avez une autre solution ? s'impatiente le bouillant scientifique, acceptant difficilement que ses idées soient contestées de la sorte.

— Je pense que nous devrions faire une recherche sur ce H. G., monsieur Galley. Nous possédons une date, 1561, et tout porte à croire que cet artiste vient de Suisse, puisque nous sommes à Lausanne. Peut-être trouverons-nous un indice qui nous permettra de franchir ce mur sans le briser. Qu'en pensez-vous ?

— Je trouve ça très sage, monsieur le ministre, acquiesce Max Fouineur, à la grande stupéfaction de Bertrand !

— Hé ! C'est moi qui décide ici, d'accord ? Tu me donneras ton opinion quand je te la demanderai, compris ? s'insurge le Suisse, vexé.

— Soyez bon joueur, monsieur Galley. Maxime semble être un jeune homme d'une grande sagesse. Je crois que nous devrions l'écouter, ajoute le vieux religieux.

Bertrand soupire de frustration, mais accepte que

son jeune protégé puisse avoir raison, non sans mau-gréer un peu. Vraiment soupe au lait, cet homme !

— Suivez-moi, j'ai un ordinateur dans mon bureau, propose Bouvier.

Le quatuor remonte les trois étages. Essoufflés, les quatre membres s'enferment dans le luxueux bureau du ministre. Malgré son âge avancé, le vieil homme maîtrise très bien l'informatique, une tech-nologie qu'il a apprivoisée au fil du temps. Contrai-rement à la majorité des personnes de sa génération, Bouvier affectionne particulièrement travailler avec cette formidable invention. Cela lui permet de se te-nir à l'affût de tout ce qui se passe dans le monde.

Habilement, le septuagénaire tape les touches nécessaires pour effectuer une recherche sur Inter-net. Il entre les titres « sculpteur », « Suisse » et « XVIe siècle », puis pèse sur la touche « retour ». En un rien de temps, plusieurs liens apparaissent à l'écran. Rapidement, Bertrand repère l'information recher-chée.

— Regardez ici, fait-il, pointant l'écran de son in-dex droit. Hans Gieng, sculpteur célèbre suisse de la Renaissance, mort en 1562. Il est particulièrement connu pour ses fontaines dans les villes de Berne et Fribourg. Il a réalisé les personnages des sept fon-taines publiques, entre 1547 et 1560.

— Ce serait lui, le squelette dans la chambre, en bas? vérifie Max Fouineur.

— Je ne crois pas. Il est mort en 1562 et l'année indiquée sur le mur est 1561, explique Bertrand.

— Il a peut-être demandé que sa dépouille soit déposée là après sa mort, tente Stéphane.

— Possible, reconnaît Bertrand.

— Qu'y avait-il d'écrit sur le papier? reprend le ministre Bouvier.

— Je ne me rappelle pas exactement, mais une chose est sûre : le message dit clairement que la pierre se trouve derrière le mur, souffle Bertrand.

— Il faudrait le relire, recommande Max Fouineur. Depuis le début, chaque fois que nous avons trouvé un message, il révélait des informations importantes. J'imagine que ça doit être encore le cas ici.

— Maxime, tu es brillant! Tu as sûrement raison! Vite, retournons en bas! s'emballe Bertrand, quittant la pièce en toute hâte.

— Pas si vite, monsieur Galley! Vous semblez oublier que j'ai plus de soixante-dix ans et que je viens de monter trois étages! bougonne Bouvier, qui vient à peine de reprendre son souffle.

— Désolé, monsieur le ministre.

Le groupe redescend tranquillement jusqu'à l'illustre chambre. Bertrand revient près du squelette et reprend le papier près de lui. Il le lit à voix haute :

Derrière le mur des sculptures se trouve votre destin,

La première pierre tant convoitée,

Que seule une grande intelligence pourra élucider,

Sous son sot nom, tracé plus loin.

— Le message le confirme : la pierre se trouve derrière le mur, clame Bertrand.

— Ça semble bien clair, en effet, corrobore le ministre.

— Ça peut pas être autre chose que ça, renchérit Stéphane.

— Moi, il y a juste la dernière phrase qui me chicote un peu, confesse Max Fouineur.

— Que veux-tu dire ? s'enquiert Bertrand.

— Pourquoi y aurait-il un *sot nom* pour une pierre ? Ç'a pas rapport, me semble. Vous trouvez pas ?

— Effectivement, c'est bizarre, admet le scientifique. J'imagine qu'il y a un nom tracé quelque part dans la pièce. Si nous le découvrons, nous trouverons sûrement la porte secrète dans le mur.

— Fouillons la chambre, messieurs. Il faut trouver ce fameux *sot nom*, ordonne le cartésien Bouvier.

La bande scrute la pièce de fond en comble. Maxime s'occupe du plancher, Stéphane, du plafond, le ministre Bouvier et Bertrand lorgnent les murs. Rien. Aucun symbole ou indice révélateur. La déception gagne le quatuor.

73

— On n'arrivera jamais à rien tant qu'on trouvera pas ce maudit sot nom. Le message dit bien : tracé *plus loin*. C'est tellement relatif, ça, plus loin. Ça peut être à quelques centimètres d'ici comme ça peut être aux îles Moukmouk! braille Stéphane.

— C'est où, ça, les îles Moukmouk? Jamais entendu parler! dit Bertrand.

— C'est juste à côté des îles Saint-Clin-Clin-des-Meuh-Meuh! ironise Stéphane, trop découragé pour expliquer l'expression typiquement québécoise.

— Connais pas non plus. J'imagine que c'est quelque part en Polynésise, tente le scientifique.

— Ouin, c'est ça. Mettons que c'est quelque part entre Saint-Charles et la Polynésie! poursuit Stéphane, insolent.

— Il déconne, là? s'informe le scientifique auprès de Maxime.

— Un peu. Faut pas s'y arrêter, Bertrand. Disons qu'il fait souvent ça quand il est découragé, explique le jeune héros, connaissant les exagérations de son père quand ça ne fonctionne pas à son goût. Voyez-vous, mon père est du genre à dire que tout va mal dans le monde quand il ne trouve pas sa lime à ongles, genre!

— Je fais des blagues dans ce temps-là, tu sais ben! Tu crois vraiment que je le pense quand je dis ça? plaide Stéphane, honteux d'entendre son fils révéler son comportement enfantin et légèrement paranoïaque.

— En tout cas, si c'est pas vrai, t'es un maudit bon comédien! T'as l'air vraiment choqué dans ce temps-là!

— J'avoue que je me laisse un peu emporter parfois… mais je suis pas mal mieux qu'avant, tu sauras. Ta mère pourrait te le dire!

— Bon, assez discuté maintenant. Cela ne nous avance guère dans notre recherche. Par contre, je crois que vous avez raison, Stéphane. Ce fameux sot nom pourrait être tracé n'importe où, estime Bertrand. Il faut regarder le message dans un autre sens.

— Que voulez-vous dire, monsieur Galley? s'enquiert Bouvier.

— Le message dit qu'il faut une grande intelligence pour trouver la pierre. Je pense qu'il faut utiliser nos cerveaux plus que nos yeux, réfléchit Bertrand à voix haute.

Le scientifique a raison, mais la tâche s'annonce difficile…

CHAPITRE 12

Cathy Julmy croupit dans sa cellule depuis trop longtemps déjà à son goût. Le Maître lui avait pourtant juré qu'elle ne moisirait pas longtemps en prison. Il lui avait même donné sa parole. Toutefois, Cathy réalise durement que dans ce milieu, une parole ne vaut pas grand-chose, à moins qu'elle ne rapporte beaucoup d'argent. Ce n'est plus le cas pour elle. La grande scientifique valait beaucoup plus avant qu'elle ne soit incarcérée.

Sa colère monte. D'un geste vif, elle empoigne le verre de plastique sur le lavabo près de son lit et le projette violemment contre le mur en face d'elle. Le verre se fissure, mais ne casse pas. Furieuse, la grande Suisse achève le travail en l'écrasant violemment de son pied droit. Un craquement sec fait écho dans la prison Champ-Dollon de Genève. Son geste lui vaudra probablement une réclusion supplémentaire, le silence étant obligatoire dans cette prison durant la nuit.

Toutefois, Cathy s'en fout éperdument. Toutes ses pensées convergent vers sa stratégie pour sortir de là. Étant dotée d'un cerveau largement supérieur à la moyenne, elle a déjà établi son plan, advenant que le Maître la laisse tomber.

Plus que jamais, sa vengeance contre Bertrand et Maxime s'intensifie. Les deux n'auront qu'à bien se tenir, dès qu'elle recouvrera sa liberté…

CHAPITRE 13

Ayant tenté vainement de démystifier le message de la chambre de la première pierre durant tout l'après-midi, Bertrand se résigne et décide de retourner à Fribourg.

— Peut-être qu'une bonne nuit de sommeil éclairera notre lanterne, qui sait? essaie-t-il de se convaincre sans trop de succès.

— C'est très sage de penser ainsi, approuve le ministre Bouvier, mentalement épuisé. Sachez que ma porte vous sera toujours ouverte quand vous en ressentirez le besoin. Je sais maintenant que votre cause est noble, alors vous pouvez compter sur mon entière collaboration. Allez, bonne route et bonne nuit.

— C'est gentil à vous, monsieur le ministre. J'apprécie énormément votre appui. Soyez assuré que nous nous reverrons très bientôt. Je ne veux pas perdre trop de temps, car la quête des six pierres risque d'être assez laborieuse.

— Vous réussirez, monsieur Galley, j'en suis convaincu. Dieu vous guidera dans votre démarche, rassure le vieil homme.

— Puissiez-vous avoir raison. J'aurai bien besoin de son aide.

De retour à Fribourg, les visages sont longs. Très longs. Un, Bertrand est rentré bredouille de son expédition, et deux, Claudine lui en veut toujours pour ses bêtises du matin. Elle refuse de l'embrasser sur la bouche, détournant vivement la tête pour lui présenter la joue droite. Très mauvais signe. Oui, la soirée s'annonce bien longue…

Après le repas, Maxime et Estelle s'amusent au jeu *World of Warcraft : The Burning Crusade,* dans le bureau de Bertrand. Pour une rare fois, ils peuvent jouer en même temps, car la pièce dispose de quatre ordinateurs! La misère!

Avec l'aide du chaman Domhamer, guide spirituel de la tribu Loup-de-givre, Maxime aide le personnage de sa sœur, la démoniste Lullabye, dans sa mission consistant à exterminer dix grizzlis infectés par la peste et dix loups sauvages malades, à Gangrebois. Notre jeune héros a créé ce personnage en l'honneur de Orgrim Domhamer, un ancien chef de guerre qu'il appréciait particulièrement. Ce dernier mourut dans l'honneur lors d'une guerre sans merci.

Ce jeu relaxe énormément Maxime. Le préadolescent peut enfin redevenir un être humain normal qui n'essaie pas continuellement de résoudre des énigmes. Ça fait du bien! Toutefois, ce moment de détente ne durera pas éternellement. Dès demain matin, il remettra son cerveau en mode recherche afin d'élucider le problème qui se pose à lui.

— Je suis tannée de jouer, Max. Je pense que je vais aller lire un peu, soupire Estelle.

— Déjà? On vient juste de commencer!

— *TU* viens juste de commencer! Moi, j'ai passé une bonne partie de la journée assise devant l'écran. J'en ai assez pour aujourd'hui.

— Comme tu veux.

Estelle quitte la pièce, laissant son frangin seul avec son personnage. Ce n'est toutefois pas une punition pour Maxime, même s'il préfère jouer avec quelqu'un d'autre. Il affectionne particulièrement discuter de stratégie et de missions à accomplir avec ses partenaires de jeu habituels, Jean-Sébastien et Sébastien.

Sauf qu'en ce moment, ses deux amis ignorent totalement où il se terre et malheureusement, Maxime ne doit en aucun cas essayer de communiquer avec eux. Ordre formel de Bertrand. S'il le faisait, il mettrait sa sécurité et celle de sa famille en danger.

— Qu'est-ce que vous écoutez? s'informe Estelle,

stupéfaite de voir autant de visages graves regarder silencieusement l'immense télévision murale HD.

Personne ne répond.

— Wow! Vous devriez voir vos visages! On dirait une séance de *babounage*! blague l'adolescente, voulant alléger l'atmosphère lourde qui règne dans le salon.

Personne ne réagit. Tous les yeux fixent l'écran, comme s'ils étaient rivés à lui par une force surnaturelle.

— Ouin… ça va être plaisant rare ici à soir! conclut-elle, tournant les talons pour gagner sa chambre.

Chemin faisant, la jeune femme ramasse le message sur la table de cuisine et l'emmène. Ceci échappe totalement à l'attention de Bertrand qui, s'il l'avait vue faire, aurait hurlé de laisser ce papier à sa place. Toutefois, la terrible scène que Claudine lui a faite lors du souper l'obsède tellement que des dizaines d'idées vengeresses occupent actuellement tout son esprit. Il planifie déjà le moment où il s'en servira, même s'il sait pertinemment qu'avec le temps, la tension baissera et le climat redeviendra convivial. Mais pas ce soir. Demain, probablement, mais pas ce soir, définitivement. Il est trop épuisé et en colère pour discuter.

Estelle entre dans la chambre qu'elle partage avec son frère et saute sur son lit. Elle aime souvent faire ça. Elle adore quand les ressorts du matelas la font rebondir. Cela lui rappelle le mouvement des vagues dans l'océan. Après ce petit plaisir anodin, elle se tourne vers la petite étagère blanche. Elle y aperçoit une vingtaine de romans. Heureusement pour elle, Claudine est aussi une grande admiratrice de *Harry Potter*. Elle possède toute la collection.

L'adolescente s'empare du tome trois : *Harry Potter et le prisonnier d'Azkaban*. Même si elle l'a lu à plusieurs reprises, elle entame les premières pages avec le même plaisir que la première fois. Une véritable accro !

Après le troisième chapitre, elle décide de se changer les idées en regardant le fameux message.

— Que peux-tu bien cacher, petit chenapan ? se dit-elle tout bas.

Estelle s'attarde plus particulièrement aux deux dernières phrases du quatrain, qu'elle trouve plutôt bizarres.

Sous son sot nom, tracé plus loin.

Que seule une grande intelligence pourra élucider,

— *Que seule une grande intelligence pourra élucider...* Pourquoi faudrait-il une grande intelligence pour trouver la solution ? Où ce message veut-il nous mener ? Que faut-il en comprendre ? Voyons, voyons... marmonne-t-elle, cherchant le sens figuré de cet étrange vers.

L'adolescente laisse aller son imagination, se remémorant les nombreuses histoires fantastiques qu'elle a lues durant les cinq dernières années. Elle revoit un à un les moyens utilisés pour élucider les nombreux mystères qui s'y trouvaient. Après un court instant, un déclic se fait dans sa tête.

— Et si c'était ça?

Cherchant promptement un papier et un crayon dans le tiroir de son petit bureau, elle trouve un bloc-notes avec l'en-tête Aria Hôtel et un dépliant montrant le très luxueux hôtel, près du célèbre château de Prague, en Tchécoslovaquie.

— Ils sont vraiment riches! échappe-t-elle, envieuse.

Estelle griffonne plein de lettres et de mots pêle-mêle sur les lignes du bloc-notes. La tâche est ardue, mais l'adolescente déborde d'énergie et ne se laisse pas décourager pour autant. Elle croit posséder quelques éléments de réponse, mais cela n'est pas concluant.

Dix minutes passent. Trente minutes. Une heure. Toutefois, Estelle persévère. La solution semble vouloir se pointer à l'horizon. Elle cesse brusquement et analyse le quatrième vers, le balayant du regard de gauche à droite. Plein de combinaisons défilent dans sa tête. Reprenant le bloc-notes, elle recommence à écrire ce qu'elle avait trouvé :

MON CORPS EST SOUS LA

Il ne reste que huit lettres pour former le dernier mot : LTISUNOO. Elle essaie :

NOSTILOU

TILONSOU

SOITULON

Ce dernier mot déclenche une étincelle dans l'esprit de la jeune femme.

— Yesss! J'ai trouvé!

D'une main sûre, elle écrit le dernier mot manquant à cette formidable anagramme : SOLUTION.

— Bertrand! Maxime! Venez vite! hurle la jeune femme, sa magnifique voix de soprano retentissant dans tous les coins du condo.

Malgré qu'elle n'ait nommé que deux noms, tout le monde accourt dans la chambre.

— Qu'est-ce qu'il y a, Estelle? s'inquiète Sylvie.

— Il y a un voleur dans la chambre? panique Bertrand, prêt à bondir sur le malfaiteur.

— Hein? Qu'est-ce que vous allez chercher là, Bertrand? Ben non, y a pas de bandit! ricane l'adolescente devant la réaction exagérée du Suisse.

— Pourquoi tu nous as appelés, d'abord? se choque Maxime, lui aussi un peu paniqué d'avoir entendu sa sœur, habituellement si douce et si calme, crier si fort.

— Regardez ça! lance-t-elle fièrement, montrant la feuille de son bloc-notes à Bertrand.

— Qu'est-ce que c'est? Pourquoi me montres-tu ça? Je ne comprends pas, Estelle, s'excuse le scientifique.

— C'est pourtant simple, Bertrand. Il s'agit du dernier vers de votre message, relate candidement la jeune femme.

— Tu fais erreur. Ce n'est pas le dernier vers du message. Je l'ai lu tellement de fois que je m'en souviens par cœur. Il dit :

Sous son sot nom, tracé plus loin.

— En effet, c'est bien écrit ça, poursuit Estelle, mais comme le dit le troisième vers : *Que seule une grande intelligence pourra élucider.* Ça a allumé une petite lumière dans ma tête : il fallait utiliser notre intelligence pour comprendre que le quatrième vers était en fait un subterfuge, une énigme. À force de fouiller dans les souvenirs de mes lectures, j'ai finalement compris que ce quatrième vers était probablement une anagramme.

— Une anagramme? Mais tu es géniale, ma belle Estelle! Comment n'y ai-je pas pensé avant? Viens ici que je t'embrasse!

Faisant fi de sa dernière phrase, Bertrand va audevant d'Estelle. Peu conscient de sa force herculéenne, il la soulève facilement de son lit et l'embrasse bruyamment sur le front. Cette dernière, malgré la douleur et la sensation d'étouffement, devient instantanément rouge comme une tomate. Elle ne s'attendait pas à tant d'affection! La jeune femme éclate timidement de rire en couvrant son nez de sa main gauche, cachant ses belles dents blanches.

— Ben là! Vous êtes pas obligé de me faire la prise de l'ours pour ça!

Le Suisse, réalisant qu'il lui fait mal sans le vouloir, la dépose doucement sur son lit.

— Mille excuses, Estelle. J'étais trop content!

— C'est pas grave. Je vais survivre!

— Je dois passer un coup de fil au ministre Bouvier, poursuit le scientifique.

— Pour quoi faire? ose Max Fouineur.

— Nous devons retourner à Lausanne demain matin. Je vais m'assurer que nous pourrons aller chercher la première pierre.

CHAPITRE 14

Le lendemain matin, Bertrand, Maxime et Stéphane retournent à la cathédrale de Lausanne. Comme prévu, le ministre Bouvier les attend derrière l'autel, près de la porte, à l'extrême gauche. Le quatuor reprend le labyrinthe menant à la salle de la première pierre et se retrouve près du squelette.

— *Mon corps est sous la solution*, relit Bertrand sur le bout de papier d'Estelle.

Tous les yeux se tournent instantanément vers le plafond, à la recherche d'un indice.

— Vous avez un escabeau? demande Bertrand au ministre.

— Euh… C'est que… bafouille le ministre, embarrassé.

— Vous en avez un, oui ou non? s'emporte le bouillant scientifique.

— Sûrement, mais j'ignore où il se trouve. Je ne m'occupe pas de l'entretien de la cathédrale, vous savez.

— Alors, demandez-en un aux personnes concernées, monsieur le ministre…

— C'est que…

— Qu'y a-t-il encore? Est-ce si compliqué de demander un escabeau?

— Ce n'est pas ça… C'est juste que les employés qui s'occupent de l'entretien de la cathédrale ne commencent qu'à dix heures.

— À dix heures? Vous êtes en train de me dire que nous devrons attendre une heure avant de pouvoir avoir un escabeau?

— Calmez-vous, Bertrand. C'est pas si long que ça, une heure, après tout, vous savez…, tempère Stéphane, inconfortable devant l'irritabilité du scientifique envers une sommité religieuse.

— Votre ami a raison, monsieur Galley. Vous verrez, ça va passer vite, poursuit le ministre. Si vous voulez, je peux vous faire une petite visite guidée de la cathédrale, en attendant.

— Je vous remercie, monsieur le ministre, mais mon temps est très précieux, le refroidit Bertrand. Je vais m'organiser autrement. Il y a un bureau ou une chaise dans le coin?

— J'imagine, hésite Bouvier. Laissez-moi voir.

Le ministre sort de la pièce et se rend jusqu'à la porte suivante, au fond du couloir, à gauche. Il fouille dans son trousseau de clés et à la quinzième tentative, il déverrouille la porte.

— Venez! lance-t-il. Vous trouverez ce que vous voulez ici.

Le trio arrive quelques secondes plus tard. Bertrand sursaute en franchissant le seuil de la porte.

— Vous pensez sincèrement que je vais pouvoir déplacer cette table? Elle doit bien peser cent kilos! crache le Suisse en parlant de l'immense table de conférence de cinq mètres de long. Vous n'auriez pas quelque chose de plus petit?

— Hum… Peut-être à l'étage du haut, réfléchit à voix haute le ministre Bouvier.

— Allons voir! propose Max Fouineur.

Les globe-trotters franchissent les treize marches menant à l'étage supérieur. Le ministre reprend encore une fois son imposant trousseau de clés et recommence son stratagème pour trouver la bonne. Il y parvient à la quatorzième, cette fois.

— Ce sera beaucoup mieux, je pense, analyse Bertrand, regardant le petit bureau de deux mètres de long.

— Wo… minute! Vous pensez quand même pas qu'on va descendre ce bureau-là! On va tous s'éreinter! proteste Stéphane, imaginant déjà la difficile tâche de le descendre dans l'étroit escalier.

— Vous avez une autre solution ? défie le scientifique, prenant mal la contestation.

— Oui, mon cher, j'en ai une ! Nous allons faire une petite visite guidée d'une heure ! Ça va être pas mal moins pénible !

— Proposition rejetée ! Allez, monsieur le ministre, prenez l'autre bout du bureau, riposte Bertrand.

— Vous n'y pensez pas, monsieur Galley ? À mon âge, je n'ai plus l'énergie d'un tel effort ! se lamente le ministre, peu habitué à forcer.

— Correct, j'ai compris… Maudite tête de cochon ! lâche Stéphane, réalisant que Bertrand essaiera probablement de le descendre tout seul si personne ne veut l'aider.

— Qu'est-ce que c'est, une tête de cochon, Maxime ? demande le scientifique, flairant l'insulte.

— Ça veut juste dire que vous tenez fermement à vos idées, explique le préadolescent, voulant éviter une autre prise de bec entre les deux coqs.

— Je préfère cela, se calme le bouillant Suisse, dont les épices avaient déjà commencé à monter au nez.

Les deux hommes empoignent chaque extrémité du bureau qui, malgré sa grande taille, n'est pas trop lourd. Comme prévu, la descente est assez périlleuse : Bertrand, à reculons, absorbe tout le poids et Stéphane doit se contorsionner pour ne pas échapper le gros meuble. Les bras tendus vers le sol, il veut éviter que le bureau soit trop haut pour son partenaire. Que de complications !

Max Fouineur suit l'étrange cortège, une chaise en bois entre les mains. Il redoute énormément la descente. S'il manque une marche, il déboulera sur son père ; ce dernier lâchera évidemment le bureau, qui écrasera Bertrand. Oui, chaque pas compte ! Notre jeune héros en est bien conscient. Il ne veut surtout pas provoquer ce fâcheux effet domino.

Une fois la descente d'escalier franchie, les deux hommes déposent le lourd meuble et reprennent leur souffle.

— Vous croyez que ça valait vraiment la peine de se donner autant de misère ? halète Stéphanc, du feu dans le regard.

— Peut-être pas, vous avez raison. Allez, on le remonte, fait Bertrand.

— Quoi ? Le remonter ? Ou-bli-ez ça ! No way, José ! Vous allez pas me faire remonter ce bureau, compris ! Y en est pas question ! explose Stéphane.

— Je blaguais, Stéphane ! Où est votre sens de l'humour ?

— Je dois l'avoir oublié à Saint-Charles, pis j'aimerais ben aller le rechercher, si vous voulez savoir ! Je commence à m'ennuyer pas mal de mon village ! continue le Drummondvillois, vexé d'avoir mordu à l'hameçon.

— Je m'excuse. C'était une mauvaise blague, j'en conviens.

— Enfin! Il le reconnaît! C'est vrai que l'humour suisse est pas mal poche, fulmine Stéphane, rouge de colère et de fatigue.

— Alors, on continue? demande le ministre. Je dois célébrer une messe bientôt.

— D'accord, monsieur le ministre, on y va, acquiesce Bertrand.

Rendus à la chambre de la première pierre, Bertrand et Stéphane déposent les pattes du bureau de chaque côté du squelette. On ne voit plus maintenant que le bout de ses jambes allongées qui dépassent. Max Fouineur dépose la chaise sur le bureau et Bertrand grimpe sur l'échafaudage de service, non sans peine. En effet, la vieille chaise en bois émet un craquement inquiétant, mais cela n'empêche pas le savant de s'y aventurer. Ce dernier s'étire de tout son long et s'approche du plafond. Il manque environ un mètre pour y toucher, mais cela suffit au savant pour voir assez clairement. Il observe partout, mais ne décèle aucun indice. Au bout de quelques minutes, il laisse tomber.

— Non, il n'y a rien ici. Je ne vois rien.

— Vous en êtes sûr? vérifie le ministre.

— Absolument. Aucune écorchure, aucun symbole visible, rien.

— Pourtant, le message est très clair, non ?

— Je sais. Je n'y comprends rien. Pourquoi nous laisser un indice, s'il n'y a rien à découvrir ? Je dois faire erreur… mais où ?

— Peut-être que le message est pas bon ! ose Max Fouineur.

— Que veux-tu dire ?

— Peut-être que le message veut dire autre chose que ce qu'on pense.

— Tu crois ?

— Je suis pas sûr à cent pour cent, mais comme vous avez rien trouvé au plafond, c'est possible que l'indice recherché se trouve ailleurs.

— C'est bien possible. Qu'est-ce que tu as en tête ?

— Ben, pendant votre recherche, j'ai relu le message. Si on change certains mots de place, on aurait peut-être notre indice.

— Qu'est-ce que ça donne ?

— La solution est sous mon corps.

— Sous mon corps ? répète le scientifique. Tu veux dire que… ?

— Je pense que notre ami le squelette nous cache quelque chose de très important, mon cher Bertrand.

— Qu'est-ce qu'on attend pour aller voir ? s'emballe Stéphane, commençant à pousser le bureau alors que Bertrand se trouve encore debout sur la chaise.

Ce dernier, ne s'attendant pas à une telle manœuvre, vacille et passe très près de faire une dangereuse chute.

— Hé! Ça va pas, la tête? J'aurais pu me tuer! vocifère-t-il.

— Désolé, j'ai pas réfléchi, avoue Stéphane, repentant.

— Ce n'est pas surprenant, vous ne réfléchissez jamais!

— Holà, le Camembert! J'ai dit que je m'excusais! Pousse pas ta *luck*, OK? C'est déjà pas facile de m'excuser, insulte-moé pas en plus!

— Messieurs, je vous demanderais de respecter la parole de Dieu dans cette église, de grâce, sermonne le ministre, exaspéré. Souvenez-vous du message de Jésus: *Aimez-vous les uns les autres.*

— Désolé, monsieur le ministre, s'excuse Bertrand. J'ai un fichu caractère, j'en suis bien conscient. Je vais faire attention.

— Je vais me forcer aussi, renchérit Stéphane, penaud.

— Il commençait à être temps! Vite, enlevons le bureau! poursuit Max Fouineur, pressé d'en finir.

Bertrand saute en bas de la chaise, directement sur le plancher. Cette manœuvre est un peu périlleuse, mais il s'en tire indemne. Maxime et Stéphane prennent chacun leur côté du bureau et le retirent d'au-dessus du squelette. Le scientifique saisit doucement le paquet d'os et le déplace vers la gauche. Un cercle métallique incrusté dans le sol leur apparaît aussitôt, avec en son centre une poignée de fer qui ressemble étrangement à celle d'une pelle.

— Je crois que notre ami le squelette a bien protégé son secret! s'exclame Bertrand, les yeux rivés au sol.

— À vous l'honneur, monsieur Galley! propose le ministre Bouvier, lui aussi impressionné par cette découverte étonnante.

Le scientifique s'approche prudemment de la poignée, qu'il saisit doucement.

— Sortez de la chambre, ordonne le savant.

— Pardon? sursaute Bouvier.

— Je vous demande tous de sortir de la chambre, s'il vous plaît. Je ne sais pas trop ce qui va arriver lorsque je tournerai cette poignée, alors il ne faut prendre aucun risque.

— Bonne idée! dit le peureux Stéphane, sortant immédiatement de la pièce en courant, entraînant son fils du même coup. Le ministre les suit.

Bertrand fait une courte prière. Il espère que ce mécanisme ne déclenchera pas une attaque mortelle contre lui. Il se rappelle trop bien ce qui est arrivé à la chapelle Tell.

La poignée semble coincée. Bertrand doit puiser dans ses réserves d'énergie pour finalement réussir à la faire bouger. Quand il arrive au quart de tour, la poignée se soulève d'elle-même, libérée de son loquet. Un puissant vrombissement rugit dans la chambre, faisant trembler légèrement le sol. Le lourd mur de briques se déplace en rotation jusqu'à quatre-vingt-dix degrés, dégageant l'accès à une autre chambre, beaucoup plus petite, celle-là.

Sur un petit autel de marbre, la première pierre trône, majestueuse comme une pierre précieuse. La lettre *P* y est gravée soigneusement.

— Venez voir ! ordonne le scientifique.

Le trio accourt, pressé de voir la merveille.

— Wow ! Trop cool ! laisse tomber Maxime.

— Magnifique ! Je ne pensais jamais voir cela de mon vivant, dit le ministre Bouvier, rempli d'allégresse.

— Bah… c'est juste une brique de pavé. Faut pas capoter avec ça ! J'en ai plein mon entrée, à Saint-Charles, pis est-ce que je capote ? lâche innocemment Stéphane, inconscient de l'importance de cette pierre pour le sort de l'humanité.

Bertrand et le ministre le fusillent du regard.

— Ben quoi ? Faut pas virer fou avec ça ! s'enfonce le pauvre père de Maxime.

— Vous ne semblez pas réaliser l'importance de cette *brique de pavé*, comme vous venez si bien de le dire, monsieur Lussier, sermonne le ministre. Elle va changer la vie de bien des gens, dont la mienne.

— Ah ouin? Ben, ça changera pas la mienne, je vous jure! Je vais continuer à lire mon *Journal de Montréal* en déjeunant, demain matin!

— On est en Suisse, p'pa!

— Euh… c'est sûr… c'était juste une image, Maxime.

L'impavide jeune détective se dirige directement vers la précieuse pierre et la soulève pour l'observer de plus près. Il effleure de sa main gauche la lettre gravée et retourne la pierre afin de l'observer sous tous ses angles. Soudain, il la rapproche de ses yeux.

— Il y a quelque chose en dessous? s'enquiert Bertrand.

— Oui. Il semble y avoir un message de gravé.

Maxime essuie la pierre avec sa main pour mieux définir les caractères. Il lit à voix haute :

Cette première pierre sera la plus facile à trouver.
Seul l'envoyé de Dieu découvrira la prochaine.
Dans les yeux de Neith, fixant l'Univers,
Les Bacounis veilleront à ce qu'elle reste saine.

— Ouin, ça promet! lance Stéphane, sarcastique.

Il ne croyait jamais si bien dire…

CHAPITRE 15

Antoine Vilain possède vraiment un nom prédestiné. Avec un tel nom de famille, il lui est pratiquement impossible de trouver un emploi où la confiance prime ! Il ne l'a évidemment pas choisi, mais il doit composer avec. Pas le choix. Enfin si, mais cela coûtcrait une fortune et ses parents ont toujours prétendu qu'il n'avait de vilain que le nom. S'ils savaient comme ils sont carrément dans les patates à propos de leur fils unique !

Antoine est le petit nouveau dans l'organisation. Il a bossé ici et là dans la criminalité, commettant de nombreux délits qui l'ont envoyé au centre de détention pour jeunes de Marseille, dès l'âge de seize ans. Il a, pour ainsi dire, de la graine de bandit dans le sang.

Maintenant, à vingt ans, il veut jouer dans la cour des grands. Le jeune homme espère rapidement se faire un nom dans le milieu du crime organisé et ainsi gravir les échelons qui le mèneront au sommet.

Toutefois, pour y parvenir, il doit faire ses preuves. Il en est fort conscient.

Voilà pourquoi il a accepté le job de filature de la voiture de Bertrand Galley. Son mandat consiste à aviser Letendre de tous les déplacements du scientifique. Rien d'autre. Il ne peut prendre aucune initiative sans l'autorisation de son supérieur. Ce rôle passif l'ennuie énormément, mais il l'accepte. C'est la loi du milieu : comme subalterne, il doit obéir et exécuter les ordres. S'il remplit bien son mandat, il obtiendra éventuellement plus de responsabilités.

— Galley vient de sortir du stationnement, patron, rapporte-t-il dans son cellulaire noir.

— Parfait. Suis-la sans te faire remarquer, résonne la voix de Letendre.

Chapitre 16

O — ù allons-nous maintenant? s'informe Max Fouineur, assis sur le siège arrière de la fourgonnette BMW de Bertrand.

— À Genève.

— À Genève? Ah bon!

— Oui. Le message de Pilate le dit clairement. Après *Arprentras*, qui signifie Lausanne, le message parlait des genévriers, tu te rappelles?

— Pas vraiment, mais c'est pas grave.

— Le genévrier constitue l'étymologie du mot Genève.

— L'étyquoi? sursaute le jeune détective, ignorant ce mot bizarre.

— L'étymologie signifie la racine du mot, Maxime.

— Ah! OK.

— C'est juste une question de logique, Maxime. Vu que le genévrier est un arbre, c'est normal que ses racines s'appellent des étymologies! raisonne Stéphane, sorti de nulle part.

— Ce n'est pas ça du tout! jappe le Suisse.

— C'était une blague, Bertrand! On respire par le nez! Désolé si mon humour est trop subtil pour votre petit cerveau!

— P'pa!

— OK, j'arrête!

— Bonne idée! Vous paraissez tellement plus intelligent quand vous ne parlez pas!

— Bertrand! se choque Max.

— D'accord, j'arrête aussi.

— Bonne idée, ça! Pis si ça vous tente, retenez donc votre souffle pendant trente ans, tant qu'à y être! Ça va nous permettre de mieux respirer ici! continue Stéphane.

— C'est assez, vous deux!

Un silence lourd envahit une autre fois la fourgonnette durant une dizaine de minutes. La conduite infantile des deux adultes horripile vraiment le préadolescent. S'ils avaient été dans la classe de madame Julie, ils auraient constitué assurément un sujet de discussion lors d'un conseil de coopération!

Cette dernière réflexion rend le jeune Drummondvillois un peu songeur. Qu'est-il advenu de son enseignante? Elle doit sûrement croupir en prison, comme tous les membres du club des Sept. Cette sordide histoire a dû provoquer toute une commotion à l'école Notre-Dame-des-Trous-de-Beignes.

Qui a remplacé la directrice ? Et les professeurs ? Qui voudra enseigner à cette école dorénavant ? Ce triste chapitre hantera assurément sa réputation à jamais. Il faudra bien une cinquantaine d'années avant que tout soit oublié. Bertrand ramène notre héros à la réalité.

— À Genève, Maxime, tu vas voir une des attractions les plus prestigieuses au monde : le fameux jet d'eau de la rade.

— Ah oui ? Qu'est-ce qu'il a de si particulier, ce jet d'eau ?

— Il est le plus haut au monde. Quand le temps est calme, il peut monter jusqu'à cent cinquante mètres dans les airs, raconte le Suisse.

— Crime, c'est haut, ça ! s'exclame le jeune homme, impressionné.

— En effet. Aussi, Genève est le siège social de l'ONU. Tu connais ?

— J'en ai déjà entendu parler. C'est là que tous les pays se réunissent pour discuter des problèmes dans le monde, c'est ça ?

— Exactement. Il ne faut pas non plus oublier le célèbre mont Blanc, qui y trône comme toile de fond. Tu vas voir, c'est magnifique comme paysage.

— J'imagine.

— Plusieurs grandes personnalités ont vécu ici. Tu connais Voltaire ?

— Euh… son nom me dit quelque chose, mais pas plus, s'excuse Maxime, maudissant son ignorance devant de si grands personnages de l'Histoire.

— Ça serait pas parent avec voltage, ça? T'sais, celui qui avait toujours les cheveux en pics, là? recommence Stéphane.

— P'pa!

— OK. Bon, ben, je pense que je vais me la fermer pour un autre dix minutes, moé là!

— Enfin, une bonne idée! C'est votre meilleure de la semaine! tonne Bertrand. Il était grand temps que vous la fermiez, car je songeais sérieusement à vous faire le coup de la Mère Royaume!

— C'est quoi, ça, le coup de la Mère Royaume? demande Maxime, craignant un peu la réponse.

— C'est une vieille tradition, à Genève, explique Bertrand. Elle remonte au début du XVIIe siècle. Lors d'un célèbre affrontement contre les troupes françaises de la Haute-Savoie, en 1602, la Mère Royaume tua un des soldats ennemis en laissant tomber de sa fenêtre une lourde marmite remplie de soupe aux légumes! Depuis, chaque onze décembre, la tradition veut que l'on mange une marmite en chocolat remplie de légumes faits en pâte d'amandes.

— Je préfère la marmite en chocolat! s'exclame

Maxime, imaginant son père mal en point sous la marmite de fonte.

— De quoi parlais-je, déjà? questionne le Suisse.

— De Voltaire, répond Maxime, intéressé à en apprendre davantage sur le célèbre Français.

— Ah oui, Voltaire! Un des plus grands écrivains et philosophes français du XVIIIe siècle. Charmé par la beauté du lac Léman, il décida de venir s'établir à Genève. Il aimait qualifier le lac de « premier de tous » parce qu'il avait la forme d'un sourire.

— Est-ce que je connais de ses oeuvres? poursuit le jeune néophyte.

— Bah, probablement pas. Tu connais le complexe d'Œdipe?

— Non.

— C'est une vieille légende. Elle raconte l'histoire d'un homme nommé Œdipe qui, ayant perdu tout contact avec ses parents alors qu'il n'était qu'un môme, était un jour tombé amoureux de sa mère.

— Amoureux de sa mère? Crime! C'est dégueulasse, ça! grimace le jeune héros.

— Il ignorait que c'était sa mère, Maxime!

— Ah, OK! Pis comment ça finit?

— Œdipe tue son père pour continuer d'aimer sa mère.

— Crime! C'est dégueulasse, ça!

— Que je te voie jamais me faire ça! lance Stéphane.

— Ben voyons, p'pa! Jamais de la vie que je ferai ça! J'aime bien m'man, là... mais de là à vouloir me marier avec elle, y a une marge!

— Pourtant, t'as déjà voulu te marier avec ta mère! poursuit le paternel.

— Tu me niaises-tu, là?

— Pantoute! T'avais trois ans, à l'époque.

— Ah! J'étais bébé! C'est pas pareil!

— Tu l'as déjà dit pareil!

— C'est normal, Maxime, poursuit Bertrand. C'est une phase reconnue du développement de l'enfant. Tous les petits garçons tombent amoureux de leur mère vers trois ans. Le père devient alors un adversaire. À cet âge, l'enfant rivalise avec son père pour conquérir l'amour de la mère. C'est un phénomène universel.

— Pourtant, je me rappelle pas avoir fait ça, confesse le préadolescent.

— C'est normal. Cette phase ne dure que quelques mois. Après un certain temps, l'enfant réalise qu'il ne pourra pas se marier avec sa mère.

— Une chance, crime! T'imagines ça, p'pa? Si je m'étais marié avec m'man, j'aurais été le père d'Estelle!

Tout le monde rit cette boutade de bon cœur.

La fourgonnette arrive à Genève, deuxième grande ville de Suisse, une vingtaine de minutes plus tard. Bertrand conduit son véhicule à l'endroit qu'il juge le plus approprié pour trouver la seconde pierre : la cathédrale Saint-Pierre. Son raisonnement se résume ainsi : si la première nichait dans une cathédrale, la logique voudrait que la deuxième se trouve dans un endroit similaire. Max Fouineur et Stéphane achètent l'idée.

Les trois aventuriers atteignent le parvis de la magnifique cathédrale protestante, décidés d'aller directement au but. Le ministre Bouvier avait déjà avisé son collègue, le ministre Courvoisier, de l'arrivée imminente de l'intrépide trio. Ce dernier arrive à leur rencontre.

— Monsieur Galley, je présume? vérifie l'énergique homme à peine grisonnant, donnant une ferme poignée de main qui fait grimacer légèrement Bertrand.

— Oui, c'est moi. Vous êtes?

— Pierre Courvoisier, ministre de la cathédrale. Le ministre Bouvier m'avait informé de votre arrivée.

— Vraiment? Pourtant, je ne lui ai jamais dit que je venais ici!

— J'imagine que Dieu l'en a informé! blague le jeune quinquagénaire.

— J'imagine aussi, rétorque plus sérieusement Bertrand, étonné d'avoir été aussi prévisible.

— Vous venez pour la deuxième pierre, je présume? poursuit Courvoisier.

— On ne peut rien vous cacher, monsieur le ministre.

— Je dois cependant vous dire que j'ignore totalement où elle se trouve, monsieur Galley. Vous m'en voyez désolé.

— Vraiment? Vous n'avez aucune idée de son emplacement? vérifie le scientifique. Un silence méfiant s'installe. Bertrand regarde longuement l'homme en soutane.

— Vous ne me croyez pas? soupçonne Courvoisier. C'est pourtant la vérité. Le ministre Bouvier m'a seulement dit que vous étiez un homme de confiance du président. Je n'aurais aucune raison de vouloir contrecarrer vos plans. Vous pouvez me faire confiance.

— Je veux bien vous faire confiance, monsieur, mais peut-être que votre Église préfère que je ne la trouve pas, extrapole Bertrand, suspicieux.

— Ne soyez pas si méfiant, monsieur Galley. La priorité de l'Église a toujours été la recherche de la vérité. Ce serait contre nos principes de l'éviter ou encore pire, de la cacher.

— Pas si votre Église était anéantie par la vérité, sauf votre respect, monsieur le ministre.

— Monsieur Galley, j'ai foi en Dieu et en son message. Je suis son fidèle serviteur et jamais je ne m'opposerai à sa volonté, soyez-en sûr.

— Je veux bien vous croire, monsieur, mais je suis désolé de vous dire qu'un doute persiste toujours dans mon esprit.

— Vous pouvez faire le tour de la cathédrale aussi longtemps que vous le voulez, monsieur Galley. Je ne m'y opposerai pas. Voici les clés, fait le ministre, offrant un impressionnant trousseau au scientifique.

— Ça ne veut rien dire. Cette pierre est probablement cachée dans un endroit secret que vous seul connaissez, rejette de la main Bertrand.

— Je vous offre de vous accompagner partout où vous me le demanderez, monsieur Galley. Croyez-moi, la pierre que vous cherchez ne se trouve pas ici, sinon je le saurais.

Bertrand réfléchit quelques secondes.

— D'accord, monsieur le ministre. Je vais vous croire.

— À la bonne heure. Par contre, si je peux vous être utile à quoi que ce soit, n'hésitez pas à venir cogner à ma porte. Elle sera toujours ouverte pour vous.

— Je vous remercie, monsieur le ministre. Au revoir.

— Au revoir, monsieur Galley. Bonne chance! souhaite le saint homme.

De la chance, les trois aventuriers en auront grandement besoin, effectivement...

CHAPITRE 17

*D*idier Letendre supporte de plus en plus difficilement la pression que lui procure son poste. Il ne s'imaginait vraiment pas que l'étau se resserrerait aussi rapidement sur lui. Le brigand croyait pouvoir surfer sur la vague de la criminalité, mais cette dernière est très puissante et souvent imprévisible.

Letendre raccroche violemment le combiné du téléphone : Mohamed vient de l'informer que les travaux se compliquent dans le désert du Sahara. Il faudra plus d'hommes ; sept ou huit, selon son estimation, s'il veut arriver dans les délais.

Trouver de nouveaux hommes ne cause aucun problème au numéro un de l'organisation. Ce qui le préoccupe davantage, c'est de retourner voir son bailleur de fonds et le convaincre de débourser des centaines de milliers d'euros supplémentaires à sa mise initiale.

Letendre avait pourtant bien promis de réaliser

facilement son objectif avec cette somme. Ce n'est plus le cas. Il devra trouver des arguments très convaincants pour que le milliardaire financier italien accepte de délier les cordons de sa bourse une autre fois. Ce n'est pas dans le sac, comme dirait l'autre.

Le brigand ne dispose d'aucune marge de manœuvre. Le temps presse et il faut des résultats. Letendre connaît très bien la punition qui l'attend s'il déçoit ses supérieurs…

CHAPITRE 18

*B*ertrand et Max Fouineur profitent du moment où Stéphane déguste son délicieux *rösti* (prononcé *reuchti*) pour réfléchir tranquillement. Le *rösti* consiste en des galettes de pommes de terre gratinées servies avec une escalope de veau à la sauce zurichoise. Un délice! Pour terminer ce festin de roi, Stéphane a commandé un dessert divin : une marquise au chocolat et à la crème pimentée. Quel goinfre!

Les deux explorateurs disposent d'une vingtaine de minutes pour résoudre l'énigme du message de la première pierre. Max relit l'intrigant passage à voix haute :

Dans les yeux de Neith, fixant l'Univers,
Les Bacounis veilleront à ce qu'elle reste saine.

— *Dans les yeux de Neith, fixant l'Univers...* Je me demande bien qui est ce Neith qui regarde au ciel. Et que représentent les Bacounis? La solution se trouve là, j'en suis sûr. Serait-ce encore une anagramme?

s'interroge le scientifique, se grattant le cuir chevelu de sa main droite.

— Possible. Je sais pas trop, avoue le jeune détective, faisant la moue.

— Ce serait trop facile, trop prévisible, à mon avis. Il y avait déjà une anagramme pour la première pierre. Je doute fort que des gens de ce niveau d'intelligence manquent autant d'imagination. Non, il faut chercher ailleurs. Attends-moi ici un instant.

— Où allez-vous?

— Je vais chercher mon portable. Je viens d'avoir une idée.

Le Suisse marche d'un pas rapide vers la fourgonnette et en revient moins d'une minute plus tard, le visage écarlate et quelques mèches humides de son toupet pointant vers le bas. Décidément, il n'a plus la forme de ses vingt ans! Essoufflé, Bertrand s'assoit sur le banc de parc, prend une bonne respiration pour ralentir son rythme cardiaque un peu trop affolé et ouvre son appareil.

— Vous pensez trouver de l'information sur Internet? déduit Max Fouineur, peu convaincu de la démarche de son coéquipier. Vous semblez oublier que le message mentionnait que la première pierre était la plus facile à trouver.

— C'est vrai, mais les gens du XVIIe siècle ne se doutaient sûrement pas que quatre siècles plus tard, l'Homme inventerait l'Internet! Ça ne coûte rien d'essayer, non?

— Vous avez bien raison.

Bertrand lance une recherche sur Google. Il écrit *Neith* et attend impatiemment les résultats. Même si son ordinateur représente la plus haute technologie qui soit, les deux secondes d'attente lui paraissent une éternité. On repassera pour la patience!

— Ce n'est pas vrai! lâche-t-il, découragé.

— Qu'est-ce qu'il y a?

— Nous ne trouverons pas la deuxième pierre avant un sacré bout de temps, j'en ai bien peur, se décourage le Suisse, les yeux toujours rivés à l'écran.

— Comment ça?

— *Neith* est le nom d'une ancienne déesse égyptienne.

Le Suisse lit un petit bout de texte et poursuit :

— Elle portait une couronne rouge qui constituait le symbole de la Basse-Égypte… Elle personnifiait également la déesse dc l'eau et des océans… Elle aurait créé l'Univers avec sept mots ou sept flèches… Elle était souvent représentée par une vache céleste, *Ahet*…

— Une vache céleste? Où on va trouver ça? Est-ce qu'il y a des vaches célestes à Genève?

— Nous ne trouverons jamais de vache céleste ici,

Maxime. Le texte parle de Basse-Égypte. J'ai bien peur que la deuxième pierre s'y trouve.

— En Égypte? Crime, c'est loin, ça!

— Je ne te le fais pas dire.

— Qu'est-ce qu'on fait? s'énerve l'étudiant. Vous voulez pas dire que…

— Nous n'avons pas vraiment le choix, je pense. Si la deuxième pierre se trouve en Égypte, nous devons y aller.

— J'ai pas hâte de dire ça à mon père. Il va *choker*, c'est sûr!

— Il va quoi?

— Il va péter les plombs, il va s'énerver.

— Ah! D'accord. Si c'est ça qui t'inquiète, je vais aller lui parler.

— Je ferais pas ça si j'étais vous.

— Ah non? Pourquoi?

— Disons que mon père n'est pas très beau à voir quand il se fâche.

— Il n'est pas vraiment plus beau au naturel, si tu veux mon avis!

— Bertrand…

— Je blague, tu le sais bien.

— Laissez faire pour ce genre de blague, OK? Le moment est plutôt mal choisi.

— D'accord, j'arrête. Ne t'en fais pas pour ton père.

Je vais trouver un moyen de lui annoncer sans qu'il s'énerve.

— Vous aimeriez pas mieux que je m'en occupe?

— Fais-moi confiance, Maxime. J'ai l'habitude de ce genre de chose.

Le chercheur s'avance lentement vers la table de Stéphane, qui vient d'entamer le dessert.

— Mmm! C'est magique! roucoule le Drummond-villois. Vous voulez goûter?

— Je vous remercie, je n'ai plus très faim.

— Vous savez pas ce que vous manquez!

— Si, je le sais. J'en ai mangé des centaines depuis que je suis né, réplique le Suisse, légèrement vexé.

— Ouin... C'est sûr... vous êtes né en Suisse, ravale le pauvre maladroit, réalisant sa bourde.

— Ce n'est pas grave, je vous pardonne.

Le scientifique hésite un peu, puis il se lance :

— Vous aimeriez voir les pyramides?

— Les pyramides? Mets-en! Ça m'a toujours émerveillé, ces affaires-là! Depuis que je suis tout petit que je rêve de les voir.

— Je suis bien heureux de vous l'entendre dire, mon cher Stéphane! avoue le scientifique, soulagé. Nous devons justement aller en Égypte pour les voir.

— Aller voir les pyramides? Fantastique! Sylvie va capoter!

— C'est que... Sylvie ne viendra pas avec nous.

— Comment ça, Sylvie viendra pas avec nous ?

— Nous partons seulement tous les trois.

— Woh… minute ! Pas question d'aller voir les pyramides sans Sylvie, OK ? Avez-vous pensé à la scène que je vais me taper si je lui annonce que je vais voir les pyramides sans elle ? Je vais dormir sur le divan les dix prochaines années !

— C'est pour notre quête, Stéphane. Ce ne sera pas un voyage d'agrément.

— Ben là ! Est-ce qu'on va voir les pyramides, oui ou non ?

— Pas exactement… mais si tout va bien, nous prendrons le temps de les visiter, je vous le promets.

— Dans ce cas-là, j'aime mieux qu'on les visite pas du tout. Sylvie me le pardonnerait jamais.

— Comme vous voulez. Nous prenons le premier avion pour l'Égypte. Je vais m'informer de l'heure du prochain départ.

— Laissez-moi au moins appeler ma femme pour l'avertir de pas s'inquiéter si on rentre pas pour le souper, exige Stéphane.

— D'accord. De toute façon, je voulais également avertir Claudine de mes intentions, renchérit Bertrand.

Quel menteur ! Jamais cette délicate pensée ne lui a effleuré l'esprit ! Sa mission l'occupe bien trop pour penser à des peccadilles du genre !

Pendant la discussion entre les deux hommes, Max Fouineur ne chôme pas, loin de là. Il poursuit la recherche, espérant découvrir un renseignement pertinent qui fera avancer l'enquête sans avoir à aller aussi loin. Son instinct le sert bien. Après quelques instants, une information à l'écran lui procure une vive émotion.

— Oh… yes! Trop cool! Malade! jubile-t-il, redressant son torse.

Le jeune détective se lève précipitamment et court à pleines jambes vers ses deux acolytes, laissant le précieux portable sans surveillance sur le banc de parc. Il se fout éperdument de ce détail insignifiant en ce moment. Ce qu'il va leur annoncer vaut cent mille fois plus qu'une vulgaire machine technologique, même si cette dernière vaut plusieurs milliers de dollars.

Son étourderie coûtera pourtant très cher…

CHAPITRE 19

Blotti derrière un immense chêne à une dizaine de mètres du banc de parc, Antoine Vilain voit une opportunité inespérée s'offrir à lui. Toutefois, il hésite avant de se lancer, car il ne doit en aucun cas se faire repérer ni prendre d'initiative sans en avoir reçu l'ordre formel de Letendre.

Le risque est énorme : s'il se fait prendre, il devra dire adieu à sa carrière et cohabitera assurément avec les vers de terre pour l'éternité ! D'un autre côté, tous les grands criminels sont reconnus pour leur témérité et leur capacité de saisir l'occasion quand elle se présente.

Ne voulant pas être un valet toute sa vie, le brigand tente sa chance, advienne que pourra. Sur le bout des pieds, le dos arqué, il se dirige doucement vers son butin, zigzaguant d'un arbre à l'autre.

— Tu joues à cache-cache ?

Vilain bondit. Le cœur veut lui sortir de la poitrine. Il est cuit. En une fraction de seconde, il imagine déjà Letendre s'amuser à lui infliger les pires sévices qui soient. Par instinct de survie, prêt à tuer pour sauver sa peau, le jeune brigand saisit le couteau attaché à son mollet droit. Toutefois, l'ennemi ne lui laisse pas le temps.

— Je peux jouer avec toi? propose le blondinet gamin d'environ cinq ans, privé de ses deux incisives.

— Pas maintenant! chuchote Vilain, soulagé, même si son cœur bat encore la chamade. Je joue déjà avec quelqu'un d'autre.

— On peut jouer la prochaine partie, d'abord? s'acharne le môme, inconscient du danger.

— Oui, oui… nous jouerons ensemble, la prochaine partie. Pour le moment, dégage, sinon mon ami va me trouver.

— Tu le jures?

— Promis, juré! Allez, fais du vent maintenant!

Le gamin gambade vers le parc, laissant à Vilain toute la latitude nécessaire pour accomplir son délit. D'un geste vif, le gredin ferme le couvercle, empoigne l'ordinateur et court rapidement en ligne droite vers sa cachette initiale, à l'insu de nos trois amis. Son cœur palpite énormément, mais cela valait le coup. Cette rapide montée d'adrénaline le grise. Il adore cette gratifiante sensation lorsqu'il commet un vol. C'est une véritable drogue pour lui. Plus il commet de délits, plus il ressent le besoin d'en commettre d'autres. De la vraie graine de brigand…

Le cambrioleur retourne à son auto. Il piaffe d'impatience d'annoncer la bonne nouvelle à son patron. Il compose le numéro de Letendre sur son cellulaire.

— Ouais?

— Salut, patron. Tu vas bien?

— Depuis quand tu me tutoies? Je t'ai déjà dit de ne jamais me tutoyer. Tu n'es pas mon égal, je te le rappelle, alors pas de familiarités.

— Désolé, patron.

— Que veux-tu?

— J'ai une excellente nouvelle!

— Laisse-moi décider si cette nouvelle est bonne ou pas, d'accord?

Cette dernière remarque exaspère le jeune apprenti. Décidément, le patron est de mauvais poil aujourd'hui. Vilain se dit qu'un jour, quand l'occasion se présentera…

— Désolé encore une fois, patron, mais je suis trop excité! J'ai peine à contenir ma joie.

— Qu'est-ce qui te rend si heureux?

— J'ai piqué le portable de Galley!

— Tu as fait quoi?

— J'ai l'ordinateur portable de Bertrand Galley en ma possession, patron! Génial, non?

— Non, mais quel taré tu es! Qu'est-ce que tu as pensé? Qui t'en avait donné l'ordre?

— Euh… personne, patron, je sais. Je pensais que…

— Qui t'a demandé de penser? Tu dois exécuter mes ordres, point à la ligne. Est-ce que tu vas finir par te rentrer ça dans ta petite tête de nœud, une fois pour toutes? Je ne t'ai jamais donné l'ordre de voler le portable de Galley, sombre imbécile! aboie Letendre, enragé par la bourde de son jeune protégé.

— Je suis désolé, patron. Je croyais que c'était une bonne idée. Cela nous donnerait accès à toutes ses données…

Cette dernière remarque déstabilise Letendre.

— Mouais… C'est sûr que ça pourrait être utile… Tu as une clé USB sur toi? demande la tête dirigeante.

— Je dois avoir ça quelque part… Ah! La voilà.

— Fais une copie de son disque dur et remets l'ordinateur où tu l'as pris.

— Aller le remettre à sa place? Vous n'y pensez pas!

— Serais-tu en train de contester ma décision, par hasard?

— Euh… non, non… Je vais aller le remettre à sa place.

— J'aime mieux cela, Antoine.

126

— C'est que…

— Qu'est-ce qu'il y a encore?

— Je ne pense pas pouvoir le remettre au même endroit. Galley doit sûrement le chercher en ce moment. Je risque de me faire repérer si je retourne sur les lieux, sauf votre respect.

Letendre se sent piégé. Il peut difficilement contester ce dernier argument. Exposer son poulain à la vue de l'Ennemi lui donnerait plus de problèmes qu'autre chose.

— Tu as raison, admet péniblement le supérieur. Trouve une façon pour qu'il le retrouve facilement et qu'il ne soupçonne pas ta présence.

— Comment vais-je faire cela?

— Tu as été assez brillant pour le voler, tu trouveras sûrement une façon de le lui rendre, j'en suis sûr.

— C'est sûr, soupire le jeune voleur, dont le cerveau s'efforce de trouver des solutions à une vitesse abracadabrante.

Une fois la copie du disque dur complétée, Vilain aperçoit le jeune garçon qui l'a surpris, près de l'arbre. Un éclair de génie le frappe. Il baisse la vitre de son auto.

— Hé! garçon! Viens ici! l'interpelle le gredin.

— Qui, moi? demande le bambin, pointant son index droit sur son cœur.

— Oui, toi!

127

— C'est à mon tour de jouer à cache-cache avec toi ? demande le jeune naïf.

— Oui, c'est à ton tour. Allez, viens !

L'enfant s'approche de la Volvo noire.

— C'est toi qui comptes, par exemple ! impose le môme.

Cette remarque fait rigoler Antoine, qui se revoit à cet âge. Se remémorant cette belle époque, il joue le jeu.

— C'est pas juste ! Je voulais que ce soit toi ! proteste faussement le brigand en se croisant énergiquement les bras.

— Trop tard ! Je l'ai dit le premier !

— Bon, c'est d'accord, tu as gagné. Je vais compter, et toi, tu vas te cacher par là. Tiens, amène ça avec toi.

Il lui tend le portable.

— Pourquoi tu me donnes ça ?

— C'est comme ça que je joue à cache-cache, moi, invente le fourbe. Je compte jusqu'à cent, tu vas te cacher près des trois personnes là-bas et si je ne te trouve pas avant que tu aies compté jusqu'à cinquante, je te le donne en cadeau. Super, non ?

— Wow ! C'est vraiment chouette, ton jeu ! Cache-toi les yeux, je vais aller me cacher là-bas. Tu ne triches pas, d'accord ? C'est interdit de regarder ! dit naïvement le bambin.

— Promis! Je ne regarde pas! jure le bandit, cachant ses yeux de ses deux mains.

Le gamin prend ses jambes à son cou, balançant le portable de Bertrand dans tous les sens. Le scientifique, complètement paniqué de s'être fait dérober son précieux portable, l'aperçoit à la main du jeune bambin qui galope à toutes jambes. Ne faisant ni une ni deux, le Suisse part à sa poursuite.

— C'est pas du jeu! C'est pas du jeu! Vous n'avez pas le droit de courir après moi! hurle le jeune garçon, complètement affolé.

— Qu'y a-t-il, Patrick? accourt le père, affolé.

— Ce n'est pas juste! pleurniche le gamin. Ce monsieur court après moi et l'autre monsieur n'a même pas fini de compter jusqu'à cent.

— De quoi parles-tu, Patrick? Et toi, pourquoi cours-tu après mon fils? demande le jeune paternel, complètement déboussolé.

— Il a volé mon ordinateur! siffle Bertrand, exténué.

— Ce n'est pas vrai! Je ne l'ai pas volé!

— Patrick, dis la vérité. Papa ne veut pas que tu contes des mensonges.

— Je te jure, papa! Je n'ai pas volé cet ordinateur. On me l'a donné.

— Je ne t'ai jamais donné mon ordinateur, petit

menteur ! Tu me l'as volé ! l'accuse le bouillant scientifique.

— Hé ! Fais gaffe à ce que tu dis, d'accord ? Mon fils n'est pas un voleur ! s'objecte furieusement le robuste père.

— Je ne dis pas qu'il l'a volé volontairement, monsieur. N'empêche qu'il est en sa possession, en ce moment. Ça regarde plutôt mal, non ? réplique Bertrand, toujours essoufflé.

— Laissez-moi régler cela avec mon fils.

Le paternel s'approche de sa progéniture qui, tel un chien soumis craignant une violente réprimande, courbe les épaules et penche la tête.

— As-tu volé l'ordinateur de ce monsieur, Patrick ?

— Non, papa.

— Tu le jures ?

— Oui.

— Vous voyez ? Il dit qu'il ne l'a pas volé.

— Quoi ? Ne me dites pas que vous le croyez ! explose Bertrand. C'est sûr qu'il ne l'avouera jamais ! Un imbécile comprendrait cela !

— Viens-tu de me traiter d'imbécile, viel arriéré ? réagit promptement le jeune homme.

— Je ne dis pas que vous êtes un imbécile, monsieur. Je dis qu'un môme va mentir pour éviter une grosse punition. Je faisais ça quand j'avais cet âge et je suis sûr que vous l'avez fait aussi. C'est un réflexe légitime. Laissez-moi lui parler, je vais être gentil avec lui.

— Tu es bien mieux, parce que sinon, tu auras affaire à moi.

— Soyez sans crainte.

Bertrand s'approche du jeune garçon, qui reprend sa position de soumission.

— Tu as quel âge, Patrick? amorce-t-il doucement pour détendre un peu l'atmosphère de réprimande qui flotte dans l'air.

— J'ai cinq ans, monsieur.

— Tu aimes les jeux à l'ordinateur?

— Oui.

— Tu voulais jouer à des jeux avec mon ordinateur?

— Je ne sais pas trop. Le monsieur n'avait pas encore fini de compter jusqu'à cent. Il fallait que je compte jusqu'à cinquante, quand je serais caché, pour le gagner.

— Quel monsieur?

— Bien… le monsieur qui jouait à cache-cache avec moi. Pourquoi tu veux savoir ça?

— Pour rien, pour rien. Et il est où, ce monsieur?

— Dans l'auto, là-bas, montre le garçonnet, pointant au loin vers la gauche.

Bertrand se retourne pour voir.

— Il n'y a pas d'auto à cet endroit, Patrick. Tu es sûr qu'elle était là?

— Oui, monsieur. Elle était là, tantôt.

— Tu es vraiment sûr de ça? Tu n'inventerais pas une histoire pour t'éviter une punition, n'est-ce pas? Tu sais, je faisais ça parfois quand j'avais ton âge…

— Tu jouais à cache-cache avec des messieurs pour avoir un ordinateur?

— Euh… non, ce n'est pas ce que je veux dire! (pause) Je comprends très bien que tu ne veuilles pas de réprimande, Patrick, alors je vais te faire une proposition.

— C'est quoi, une proposition, papa?

— C'est quelque chose que le monsieur va t'offrir. Comme un cadeau. Écoute-le bien.

— C'est ça. Bon, écoute-moi bien, Patrick. J'ai beaucoup besoin de mon ordinateur pour travailler. Tu comprends?

Le gamin approuve d'un hochement de tête.

— Toi, tu ne pourrais pas jouer à des jeux avec.

— Pourquoi?

— Parce qu'il n'y a aucun jeu dedans.

— Il n'y a pas de jeu dans ton ordinateur?

— C'est ça.

— Il est ennuyeux, ton ordi!

— Tu as bien raison, mon grand! ricane le scientifique. Par contre, si tu me le rends et que tu dis que c'est toi qui l'as vol… qui l'as emprunté, je suis prêt à te faire une belle surprise. Tu aimes les surprises ?

— Oui !

— Alors, écoute-moi bien : si tu avoues que tu as pris mon ordinateur, je vais t'en donner un autre, identique au mien, mais avec plein de jeux amusants dedans. Ça te plairait ?

— Oui ! Ce serait super chouette !

— Alors, tu n'as qu'à me regarder dans les yeux et me dire que c'est toi qui as pris mon ordinateur. Tu peux faire ça ?

Tiraillé, le jeune garçon hésite longuement avant de répondre. Ses parents lui ont appris à toujours dire la vérité, mais la possibilité d'obtenir un ordinateur en échange d'un mensonge le séduit énormément. C'est gros, un ordinateur. Son père lui a souvent promis d'en acheter un, mais là, il l'aurait immédiatement. Dans le fond, se dit-il, personne ne saura qu'il a menti s'il répète ce que l'étranger lui demande…

— Oui, c'est moi qui ai pris votre ordinateur, monsieur.

— Voilà ! Tu vois ? Ce n'était pas si compliqué que ça, pas vrai ? sourit Bertrand, soulagé que son ordinateur ne soit pas tombé entre de mauvaises mains.

S'il savait…

CHAPITRE 20

*B*ertrand et Stéphane n'iront pas en Égypte. Ce ne sera plus nécessaire. Max Fouineur profita de la discussion corsée entre son père et son ami suisse pour continuer la recherche sur Internet, à leur insu. Selon lui, Bertrand avait manqué de discernement en se limitant uniquement au mot *Neith*. Même si toutes les informations laissaient croire que la deuxième pierre se trouvait quelque part en Égypte, le mot *Bacounis* chatouillait trop l'intérêt de notre héros. Il devait fouiller plus loin.

Sa curiosité lui rapporta. Le mot *Bacounis* envoya Max vers la rubrique *Des récits et légendes du Léman*, dans la deuxième page du Web. L'article expliquait que le terme *Bacounis,* d'origine suisse, désignait les « hommes du Léman », dont la profession consistait à transporter des marchandises d'un rivage à l'autre, il y a de cela plusieurs années.

Pourquoi le message associait-il les mots *Bacounis et Neith*, s'ils correspondaient à des endroits si opposés, la Suisse et l'Égypte ? Max Fouineur voulait savoir. Il tapa les deux mots-clés, mais cela le ramena à la rubrique sur les récits et légendes du Léman. Alors, il essaya les mots *Neith* et *lac Léman*. Le huitième titre, *Pierres du Niton – Wikipédia*, provoqua le déclic dans sa tête. *Neith* et *lac Léman* apparaissaient en caractères gras. Il n'en fallait pas plus pour le jeune fouineur. Max cliqua sur le lien et lut l'article. Tous les morceaux du puzzle se placèrent comme par magie.

Les pierres du Niton constituent deux pierres émergeant du lac Léman, dans la rade de Genève. Le mot *Niton* serait un dérivé du mot *Neith*, dieu des eaux chez les Gaulois, ou encore de Neptune.

Le jeune enquêteur ne pouvait espérer mieux ! Le lac Léman, les pierres du Niton, qui pourraient représenter les yeux qui fixent l'Univers, et Neith, la déesse ou le dieu des eaux, selon que l'on vienne d'Égypte ou de France. Ce qui importait surtout pour Maxime était que la deuxième pierre se trouvait assurément à Genève.

Fou de joie, le préadolescent en avait totalement oublié le portable sur le banc de parc pour aller annoncer la bonne nouvelle à ses deux compagnons. Malheureusement, il avait omis de fermer le fichier avant d'aller les rejoindre… Un vrai gars !

CHAPITRE 21

Nos trois héros arrivent près du lac Léman. Une surprise de taille les attend.

— C'est incroyable! s'exclame Bertrand, abasourdi.

— Qu'est-ce qu'il y a? bondit Stéphane.

— Le jet!

— Ben quoi, le jet? Où ça, le jet? Il y a même pas de jet!

— C'est ce qui est incroyable!

— Ah oui? Je trouve rien de spécial à ça, moi. Nous autres aussi, au Québec, nos lacs ont pas de jet! C'est comme normal, je dirais.

— Vous mêlez tout, Stéphane! Ce n'est pas supposé arriver, ici. Il doit y avoir un jet d'eau dans le lac. Il a toujours fonctionné jour et nuit, de mémoire d'homme. C'est la première fois qu'il ne marche pas, relate le Suisse.

— Bah, ça doit être parce qu'on est là!

— Je n'aime pas ça… marmonne le scientifique.

— Vous croyez que quelqu'un a trafiqué le mécanisme du jet? essaie Max Fouineur.

— Je n'en serais pas surpris.

— Pourquoi l'Ennemi ferait-il ça?

— J'imagine qu'il se doutait que nous viendrions ici. Il veut nuire à notre démarche, je ne sais pas trop.

— C'est peu probable, Bertrand, assure le jeune détective. Personne est au courant que nous sommes ici.

— Tu crois? Je ne partage pas ton avis.

— Comment ça?

— Quand tu as laissé traîner le portable, qu'y avait-il à l'écran?

— Ben…

Maxime se remémore la page.

— Vous croyez que…

— Je crois que le môme disait la vérité quand il affirmait avoir reçu l'ordinateur d'un étranger. Petit vaurien! Il m'a menti! Et dire que j'ai signé une autorisation à son père pour que le gouvernement lui donne un ordinateur neuf! Il m'a bien piégé!

— Une sommité scientifique qui se fait avoir comme un débutant par un petit gars de cinq ans. Pas fort! analyse Stéphane.

— J'aurais bien aimé vous voir à ma place!

— Bon, ça recommence! bougonne Maxime.

Un lourd silence envahit une autre fois la fourgonnette. Les deux rivaux marmonnent des insultes inaudibles pour éviter de mettre de l'huile sur le feu. Quelques instants plus tard, le véhicule se gare dans un stationnement près du célèbre lac. Le trio sort du véhicule pour observer l'inexplicable phénomène. Bertrand apostrophe un passant.

— Vous avez vu, monsieur? Le jet a disparu!

— Ma parole! Mais vous avez raison! C'est incroyable! tressaute l'homme d'une soixantaine d'années à la chevelure grise clairsemée.

— Vous ne l'aviez pas remarqué? s'étonne le savant.

— Non. Pour être franc avec vous, je n'y porte plus attention depuis fort longtemps. Il fait tellement partie de notre quotidien que plus personne ne s'en préoccupe. Ce sont plus les touristes qui s'y attardent, je dirais, raconte le sexagénaire, un peu honteux.

— Ne vous défendez pas. Je ferais probablement la même chose, vous savez, confie Bertrand. Merci quand même.

— Bon, qu'est-ce qu'on fait maintenant? questionne Max.

— Je n'en sais trop rien, Maxime. Je crains que l'Ennemi ne soit en train de nous tendre un piège. Ça sent mauvais…

— Ça serait idiot de leur part. Vous êtes le mieux placé pour trouver les pierres, Bertrand. Vous le savez mieux que quiconque, observe Stéphane avec justesse.

— Je sais, mais l'Ennemi peut penser le contraire. S'il possède les données de mon portable, comme je le pense, il pourrait y parvenir sans moi, reconnaît le savant.

— Ah, ça, c'est sûr… abdique Stéphane, à court d'arguments.

— Alors, je répète ma question : qu'est-ce qu'on fait ? reprend Max Fouineur.

— Je dois réfléchir… murmure Bertrand en s'éloignant.

Le scientifique longe la berge du lac durant quelques minutes, la tête penchée vers le sol. Sous cette fausse apparence de détente, Bertrand fait travailler ses neurones à la puissance 10. Il relève soudainement la tête et saisit son cellulaire. Il discute environ cinq minutes avec son interlocuteur, gesticulant, promenant ses mains au-dessus de sa tête, pointant du doigt dans le vide et s'empoignant la nuque en signe d'exaspération. Il raccroche brusquement et revient d'un pas décidé.

— Nous continuons les recherches ! tonne-t-il.

— Et l'Ennemi ? Qu'est-ce que vous en faites ? s'inquiète Stéphane.

— Je m'en fous de l'Ennemi! Nous continuons les recherches, un point c'est tout! martèle le bouillant scientifique.

— À qui parliez-vous au téléphone? ose Max Fouineur, espérant que Bertrand ne lui pétera pas une autre coche.

— Je parlais avec le président. Il m'a promis d'envoyer une équipe d'experts sur les lieux d'ici une heure, même s'il trouvait futile que je m'en fasse avec un probable bris mécanique. Je l'ai convaincu en menaçant d'arrêter mes recherches sur-le-champ s'il n'envoyait personne.

— Vous êtes sérieux? Vous auriez arrêté les recherches? s'estomaque le jeune héros.

— Bien sûr que non. Mais le président ne le sait pas, lui! Tu sais, je peux être un excellent bluffeur quand je le veux! confesse l'érudit en faisant un clin d'œil complice.

— Il me semblait bien, aussi! renchérit Stéphane. Ça m'aurait beaucoup surpris qu'une tête de cochon comme la vôtre s'arrête si près du but. Pour être franc, j'aurais été déçu.

— C'est sûr que je veux aller jusqu'au bout, mais nous devons maintenant composer avec une nouvelle réalité : l'Ennemi possède autant d'informations que nous sur le fameux code secret, j'en ai bien peur. Il pourra nous suivre pas à pas, s'il le désire.

141

Avant, il dépendait de nous, mais maintenant, nous jouons à armes égales.

— Peut-être ben, mais l'Ennemi a pas de Bertrand Galley dans ses rangs, par exemple! encense Max, flattant l'ego de son célèbre partenaire. Beau téteux!

— Sans compter que le fantastique Stéphane Lussier fait aussi partie des troupes! renchérit l'imbécile heureux, au grand dam de Bertrand et aux éclats de rire de son fils.

— Merci pour le compliment, Maxime, dit Bertrand, faisant fi de la ridicule remarque de Stéphane. Toi aussi, tu es un allié extraordinaire, tu sais.

Le préadolescent rougit. Il ne s'attendait pas à un compliment aussi gentil da la part d'une sommité mondiale. Il essaie de balbutier un merci, mais s'enfarge dans ses mots :

— Sain pain gentil!

Cela lui arrive fréquemment de bafouiller de la sorte quand il est intimidé ou trop gêné. Il se rappellera toujours la fois où il avait rencontré le grand Mario Lemieux, lors du tournoi de hockey pee-wee de Québec. Son père connaissait quelqu'un, qui connaissait quelqu'un, qui connaissait un des enfants de la célèbre vedette de hockey. Après moult démarches, Stéphane était parvenu à obtenir une rencontre privée avec le grand Mario. Une minute, maximum, avait convenu le membre du temple de la renommée du hockey.

Alors qu'il s'approchait de l'ex-joueur des Penguins de Pittsburgh, ce dernier lui tendit la main :

— Salut, Maxime. Ça me fait plaisir de venir te parler un peu.

Maxime, impressionné comme mille, fondait littéralement dans ses pantalons ! Ses genoux tremblaient et ses dents s'affolaient dans sa bouche, claquant comme des castagnettes !

— *Je dois trouver quelque chose d'intelligent à lui dire*, se répétait-il nerveusement dans sa tête, pendant que le grand joueur lui secouait la main droite. La vedette s'aperçut bien de la nervosité de son plus fidèle admirateur, qui possédait toutes ses cartes de hockey et dont la chambre tapissée uniquement de photos de lui en action démontrait toute son admiration.

— Tu n'as rien à me dire ? blagua le géant, pour essayer de détendre un peu son jeune admirateur.

Maxime ne savait plus trop s'il devait dire *allô* ou *salut*. Tout se mélangeait dans sa tête. Tout ce qui en sortit fut :

— Sallô…

— Pardon ? grimaça Mario le Magnifique, incertain d'avoir entendu ce jeune insolent le traiter de salaud.

143

— 'scusez! souffla le jeune cafouilleur en penchant la tête.

Maxime Lagaffe retira énergiquement sa main de celle de la vedette et prit ses jambes à son cou, rouge de honte.

— *Maudit sans-dessein! Crime de cave! Beau colon! T'es super hot, le taouin!* s'engueula-t-il pendant sa fuite.

Son père lui servit tout un sermon lorsqu'il parvint finalement à le rattraper.

— Plus jamais, Maxime. Plus jamais tu vas rencontrer une supervedette. M'as-tu bien compris? J'ai eu tellement honte. Traiter Mario Lemieux de salaud… Jamais j'aurais pensé que tu puisses lui dire une chose pareille!

Maxime croit encore que son père lui avait dit cela sur le coup de la colère et qu'il ne le pensait pas vraiment. N'empêche qu'il n'a jamais vu d'autre célébrité depuis. Pure coïncidence, sûrement…

CHAPITRE 22

*D*idier Letendre braque les yeux sur les fichiers du portable de Bertrand Galley. Même s'il ressent un brin de fierté envers la témérité de Vilain, il ne laisse rien paraître.

Cela tombe pile. Le bandit cherchait justement des arguments pour convaincre son bailleur de fonds d'investir les sommes manquantes pour l'achèvement des travaux en Égypte. Avec ce qu'il détient maintenant, il pourra soutirer tout l'argent qu'il voudra. Ces informations représentent une véritable mine d'or. Letendre n'en espérait pas tant, mais comme tout bon brigand, il les utilisera au moment opportun.

Heureux comme un roi, le criminel se surprend même à sourire, chose qu'il n'avait pas faite depuis un bon bout de temps. Dieu que les choses changent vite parfois! Il y a à peine une heure, il planifiait son exil pour échapper à une mort certaine et maintenant, il se demande combien de millions il amassera en échange de ces renseignements ultra-secrets.

Évidemment, il ne soutirera rien de bien des fichiers comme celui du budget personnel du scientifique, où se trouvent toutes ses dépenses hebdomadaires.

— C'est payant, les sciences! marmonne Letendre, apercevant le salaire de Bertrand.

D'autres fichiers, comme la liste des cadeaux de Noël de Claudine ou le classement des meilleurs joueurs de foot d'Europe, selon les critères personnels du savant, ne lui rapporteront rien non plus, alors il les supprime. Toutefois, quelques titres attirent plus particulièrement son attention :

Calcul des probabilités de la chambre secrète de la pyramide de Khops

Emplacement de la chambre secrète

Théorie sur la présence de Jésus dans la chambre secrète

Code secret du tombeau de Jésus

Numéros de téléphone importants

Notes sur les communications avec le président

Letendre ne croyait jamais pouvoir se procurer autant d'informations privilégiées.

— Le Bon Dieu est juste! ironise-t-il.

Avec ces données, la partie prend une nouvelle tournure. Letendre se trouve maintenant bien assis dans le siège du conducteur. Plus personne ne lui mettra des bâtons dans les roues ou de pression supplémentaire sur les épaules. Un puissant sentiment de béatitude l'envahit. Pour un instant, il se sent comme la personne la plus importante du monde entier.

L'escroc n'est pas loin de la vérité. Toutefois, d'autres requins affamés nagent aussi avec lui dans ce bassin de recherche de pouvoir. Dieu sait comment un requin reniflant l'odeur du sang peut devenir impitoyable.

Le téléphone sonne. Letendre regarde l'afficheur et fait un petit sourire en coin. Confiant, il saisit le combiné. Il se sent d'attaque pour affronter le cardinal Spina. Oui, vraiment, les choses changent très vite parfois…

CHAPITRE 23

Le puissant bateau à moteur hors-bord file à toute allure sur le placide lac Léman. Sa coque scinde l'eau en deux vagues symétriques qui s'éloignent diamétralement. La bourrasque fouette le visage de Bertrand, qui adore cette sensation de vitesse et de liberté. Un vrai passionné.

Maxime reste assis bien tranquillement sur le siège du passager. Légèrement effrayé, il se contente d'observer les nouvelles vagues s'éloigner doucement en ondes. Ces dernières remuent une branche d'arbre qui flotte tout près de l'embarcation louée.

Quant à Stéphane, la tête enfoncée dans un sac de plastique blanc, il dégobille sa délicieuse escalope de veau à la sauce zurichoise et sa délectable mousse au chocolat ! Le tout forme un dégoûtant mélange de couleurs… Enfin, bref… passons pour les détails !

— Quand est-ce qu'on arrive ? Je suis pus capable… braille le pauvre malade, vert comme un céleri, entre deux efforts.

— Ça va passer, c'est le mal de mer! le réconforte Bertrand, amusé.

— Hein? Pas vrai? Tu m'en diras tant! J'y aurais jamais pensé tout seul, c'est sûr! ironise Stéphane, vexé du peu d'empathie du Suisse.

— Ça va, Maxime? s'enquiert le scientifique.

— Oui, oui… ça va…

— On dirait que tu as peur! Tu n'as pas bougé depuis le début. Tu veux conduire?

— Pardon?

— J'ai dit : veux-tu conduire?

— Euh… non, merci. Ça sera pas nécessaire.

— Allez, Maxime! Viens! Tu vas adorer…

— Non, non… Ça va aller. Je suis bien comme ça.

— Comme tu veux.

Le jeune agent secret tremble de peur, mais l'orgueil l'empêche de l'avouer. Il n'ose pas non plus regarder son père vomir, de peur de l'imiter! C'est que l'écolier déteste les sensations fortes à en mourir. Cela n'est pas sa tasse de thé, contrairement à bien des jeunes de son âge. Il ne monte jamais dans les manèges qui tournent ou qui vont très vite, alors oubliez les montagnes russes dans son cas! Jamais il n'ira, même si on le paie! Son plus haut fait d'armes en matière de sensations fortes constitue la *Pitoune*, à la Ronde! Et même là, il appréhende toujours la dernière descente, malgré qu'il l'ait faite souvent. L'écolier préfère de loin les autos tamponneuses, surtout quand il fait sursauter ses parents en les heurtant!

Quelques minutes plus tard, le bateau arrive à destination. Les pierres du Niton sont situées à environ une vingtaine de mètres l'une de l'autre. La plus grosse des deux pierres, baptisée *la grande pierre*, sert encore de point de référence pour évaluer l'altitude de l'horizon au-dessus du niveau de la mer. En 1820, l'ingénieur Guillaume-Henri Dufour y apposa une plaque de référence, qui s'y trouve toujours.

— Allons vers la grande pierre, propose Bertrand, convaincu qu'elle cache un indice qui l'aidera à trouver la deuxième pierre.

Le navigateur de fortune éteint le moteur et laisse glisser doucement le bateau vers la grande pierre. Rendu près d'elle, il jette l'ancre et neutralise le puissant esquif, qui continue de tanguer un peu trop au goût de Stéphane.

— Y a pas moyen d'arrêter le bateau de brasser comme ça? J'ai l'impression de brasser du yogourt dans mon ventre! se plaint le piètre marin.

— Pas vraiment. Il faudrait stopper les vagues! se moque Bertrand.

— Y a pas grand-chose à voir sur cette pierre, il me semble, se plaint Max Fouineur. C'est juste une grosse roche.

— Il ne faut pas toujours se fier aux apparences,

Maxime. Le message nous envoie ici, alors il doit sûrement y avoir un indice caché quelque part, estime le scientifique. C'est à nous de le trouver.

— Qu'est-ce que vous faites là, Bertrand ? Vous avez pas le droit de faire ça ! panique le jeune craintif, voyant son téméraire compagnon sauter sur la grande pierre.

— Ne t'en fais pas ! Je peux faire tout ce que je veux, ici. Je te rappelle que je travaille pour le gouvernement. Le président m'a donné carte blanche.

Le chercheur se retourne et scrute l'énorme bloc de pierre. Quelques secondes plus tard, il s'arrête et crie :

— Venez voir !

Les deux froussards cherchent une prise à empoigner, mais le caillou lisse leur laisse peu de chance. Bertrand doit tendre son bras droit pour les aider. Finalement, ils arrivent à l'endroit où le Suisse s'est arrêté.

— Un trou ? Ici ? s'exclame Max.

— En effet, c'est plutôt bizarre, renchérit Bertrand.

— Ça doit avoir un lien avec le message, c'est sûr, juge Stéphane, qui émet un commentaire intelligent pour une rare fois !

— Je partage votre avis, Stéphane.

— La deuxième pierre doit se trouver au fond. Je vais aller voir, annonce Max Fouineur.

Le jeune intrépide se couche à plat ventre et entre son bras droit dans l'ouverture carrée, dont les côtés font près de trente centimètres chacun.

— Je ne touche pas au fond, peste-t-il.

— Attends, Maxime, j'ai une idée, claironne Bertrand. Stéphane, allez chercher la lampe de poche qui est près du volant, dans le bateau.

— Retourner dans le bateau? Vous êtes malade ou quoi? J'ai eu toute la misère du monde à en débarquer sans me tuer, crime! Si vous pensez que je vais risquer ma vie pour une vulgaire lampe de poche, je…

— Ahhh… laissez faire! Je vais y aller, mauviette! bougonne l'homme de science.

— Eille! Je suis pas une mauviette, tu sauras! Je suis juste… Bon, OK, je suis une mauviette! Vous êtes content, là?

Bertrand l'ignore totalement, plus préoccupé à découvrir ce qui se cache au fond du trou qu'à discuter de bravoure. Il revient au bout de quelques instants.

— Laisse-moi regarder, Maxime.

Le jeune homme se relève et laisse sa place au savant. Ce dernier s'accroupit et pointe le faisceau lumineux dans la cavité.

— Il semble y avoir quelque chose, susurre-t-il.

— Ça semble loin? vérifie Max.

153

— Pas tant que ça. Deux mètres tout au plus, je dirais.

— À quoi ça ressemble? questionne Stéphane, essayant vainement de voir ce qu'il y a dans le trou.

— Je ne saurais trop dire. Chose certaine, ce n'est pas une pierre de pavé. C'est plus un genre de loquet, je dirais.

— Un loquet? Dans une roche? s'étonne Max Fouineur.

— Ça ressemble à ça. Quelqu'un a logé le coffre contenant la deuxième pierre dans ce rocher. Ça aurait du sens, raisonne Bertrand. Il faut maintenant trouver le moyen d'y accéder.

— Ça sera pas évident à trouver, ça...., se décourage Stéphane.

— C'est ce qui fait la beauté des défis! Très souvent, le plus gratifiant pour un scientifique n'est pas ce qu'il découvre, mais plutôt la démarche effectuée pour y arriver, clame Bertrand. Messieurs, faisons travailler nos méninges!

Les trois aventuriers s'assoient sur la grande pierre du Niton. Ils restent ainsi immobiles pendant plus de trente minutes, cherchant désespérément une solution à cet épineux problème. Stéphane essaya bien quelques idées, mais elles furent toutes rejetées rapidement. Cela le vexa un peu, alors en ce moment, il n'y a que deux cerveaux qui s'efforcent de trouver

une façon d'atteindre le fameux loquet. Max Fouineur relève brusquement la tête, frappé par un éclair
de génie.

— Il faut aller à l'autre pierre! claironne le jeune
détective en herbe.

— Aller à l'autre pierre? Mais pourquoi? Le loquet
est ici. La deuxième pierre se trouve ici, j'en suis persuadé, s'oppose Bertrand d'un ton dubitatif.

— C'est ce que je pense aussi, mais comme on n'arrive pas à rejoindre le loquet, je me dis qu'il y a sûrement un moyen de l'atteindre, explique Max.

— Tu ne m'apprends rien en disant cela, Maxime.
Où veux-tu en venir?

— Le message disait *dans les yeux de Neith* et non
pas *dans l'œil de Neith*. Comme le message parle des
deux yeux, il faut sûrement aller sur les deux pierres pour trouver la façon d'accéder à la deuxième
pierre.

— Maxime, ton génie m'étonnera toujours! Tu as
sûrement raison! s'agite Bertrand, le regard plein
d'admiration.

— Tu m'impressionnes, mon grand, lance Stéphane, tout aussi fier. C'est pas peu dire, mais des
fois, t'es aussi intelligent que ton père!

Bertrand toussote. Stéphane saisit bien l'allusion.

— OK, j'avoue que pour une fois, t'as été plus intelligent que moi.

Le scientifique toussote encore. Stéphane explose :

— Bon, monsieur l'intello veut me passer un message avec ses petits toussotements de *fif*? Ben, vous saurez, mon cher monsieur du Vacherin, que je suis pas aussi cave que j'en ai l'air, OK, là? Je vais vous dire juste une chose, pis je le répéterai pas deux fois : Un cave qui sait qu'y est cave est ben moins cave qu'un cave qui sait pas qu'y est cave, OK?

— Je n'ai rien compris à votre charabia!

— C'est parce que justement, vous êtes un vrai cave!

— Répète donc ça, mauviette!

— C'est assez! hurle Maxime.

Les duellistes se taisent, non sans respirer très bruyamment.

— Nous allons à l'autre pierre. Vous, vous restez ici! ordonne Bertrand, le feu dans le regard.

— Ça tombe bien, j'avais justement pas le goût de vous accompagner! martèle Stéphane, des couteaux à la place des yeux.

Les deux intrépides marins embarquent dans le bateau. Ils naviguent durant une vingtaine de secondes et amarrent près de la petite pierre. Toutefois, une petite surprise les attend...

CHAPITRE 24

*C*ardinal! Comment allez-vous, mon ami? entame Letendre sur un ton insolent.

— *Non una familiarità. Non sono il vostro amico,* bondit l'ecclésiastique, outré de se faire traiter aussi familièrement par un mafioso.

— Voyons, cardinal, ne montez pas sur vos grands chevaux comme ça! Ce n'est pas bon pour un homme de votre âge…

— *Come Io osate parlare cosi? Parla ne italiano.*

— Je vous parlerai sur le ton qui me plaira, et en français, en plus, ne vous en déplaise, cardinal. Disons qu'avec les informations que je viens de découvrir, je peux me permettre cette petite témérité. À partir de maintenant, les choses vont se dérouler à MA façon.

— *Quali informazioni?*

— Des informations qui vous permettront de connaître tout sur le secret de la pyramide, mon cher cardinal Spina.

— *Tutto?*

— Oui, cardinal. Tout.

— *Mi occorrono quest'informazioni.*

— Vous aurez toutes ces informations seulement si vous acceptez mon offre, cardinal.

— *È un ricatto, Letendre.*

— Je sais, mais c'est mon métier de faire chanter le monde, mon ami. Je suis, comment dirais-je… comme un grand impresario! blague le hors-la-loi, amusé de détenir autant de pouvoir.

— *Cosa poteste?*

— Je veux l'argent nécessaire pour terminer les travaux dans le désert du Sahara et comme boni, je veux cent millions d'euros, payables au porteur, évidemment.

— *Essete pazzo!* s'emporte l'homme d'Église. *Non potrò mai trovare tale somma.*

— Il le faudra bien, pourtant. Si votre Église ne peut pas me payer cette somme, je suis convaincu que quelqu'un d'autre sera intéressé à le faire. Je vous rappelle que si ces informations deviennent publiques, votre institution s'écroulera comme un vulgaire château de cartes…

Un silence s'installe à l'autre bout du fil. Dix secondes. Vingt secondes. Trente secondes.

— *D'accordo. Lascia una settimana,* cède le cardinal, la voix éteinte.

— Bonne décision, cardinal Spina! Vous savez, sur son trône, au paradis, Dieu doit respirer beaucoup mieux maintenant! s'amuse le gredin, fébrile à l'idée de recevoir une si faramineuse somme d'argent d'ici une semaine.

Dire qu'il n'y a pas si longtemps, le mafioso planifiait sa fuite pour éviter de finir sa vie au fond du lac Léman. Vraiment, la vie change parfois rapidement de direction. Et elle n'a pas fini de le faire, dans son cas…

CHAPITRE 25

Max Fouineur et Bertrand Galley enjambent la coque du bateau et débarquent sur la petite pierre du Niton. Ils espèrent y trouver une façon d'accéder au loquet situé au fond du trou de la grande pierre, mais la fouille dure à peine trente secondes.

— Il n'y a rien de particulier sur cette pierre, j'en ai bien peur, souffle le célèbre scientifique.

— Vous avez bien raison. Je vois rien non plus.

— Retournons à la grande pierre. Nous essaierons de trouver une perche qui nous permettra de nous rendre jusqu'au loquet.

— Comment pensez-vous pouvoir ouvrir le loquet avec une simple perche ? Il faudrait une main ou une pince au bout.

— Je sais, mais je n'ai pas trouvé mieux comme solution.

— Moi, je pense qu'on devrait approfondir les recherches ici.

— Où veux-tu que nous regardions, Maxime? Il n'y a rien à voir sur cette minuscule pierre. Nous en avons fait le tour.

— Je sais qu'il y a rien sur cette pierre, mais c'était pas ce que le message disait, non plus.

— Que veux-tu dire?

— Le message dit *dans* les yeux de Neith, pas *sur* les yeux de Neith.

— Tu crois que…?

— Ça vaut au moins la peine d'essayer, non?

— Tu as probablement raison.

Les deux explorateurs fouillent plus assidûment, cherchant une fissure ou une crevasse suspecte qui pourrait les mener vers un autre trou.

— Il n'y a toujours rien, soupire Bertrand.

— Il faudrait aller voir sous l'eau.

— Sous l'eau?

— Ben quoi? Ça coûte rien d'essayer!

— C'est sûr.

— Je vais aller voir.

— Tu es sûr de vouloir y aller?

— Oui, oui, ayez pas peur. Je me suis souvent pratiqué à faire de la plongée sous-marine dans notre piscine creusée, à Saint-Charles.

— Je veux bien, mais l'eau ne sera pas aussi limpide, par exemple!

— C'est pas grave, il doit bien y avoir une lampe de poche qui va sous l'eau dans le bateau, non?

— Sûrement. Je vais voir.

Le Suisse saute dans l'embarcation, reprend son équilibre et fouille dans le bac en plastique bleu ciel sous le volant. Effectivement, il déniche une lampe de poche, un masque et un tuba. Les propriétaires du bateau sont assurément des adeptes de la plongée en apnée. Bertrand remet les accessoires à notre jeune héros, qui enlève son t-shirt de l'Avalanche du Colorado, son jean noir, ses bas gris, ses espadrilles et ses… Non, ceux-là, il les garde!

— Attends! jappe le savant alors que Max s'apprête à sauter à l'eau.

Le préadolescent fait d'immenses efforts pour ramener son corps, qui penchait déjà dangereusement vers l'avant.

— Qu'est-ce qui se passe? se choque le jeune héros.

— Je veux que tu t'attaches avec cette corde. Comme ça, si tu as un problème, je pourrai te tirer hors de l'eau.

— Voyons, Bertrand, capotez pas! Qu'est-ce qui pourrait m'arriver, hein? Je vais juste à deux ou trois mètres de profondeur, maximum. Je suis pas un vrai fou, quand même!

— Ce n'est pas grave, Maxime. On n'est jamais trop prudent.

— Bon, comme vous voulez.

Max Fouineur saisit le câble de nylon jaune et l'enroule autour de sa taille. Il exécute quatre solides nœuds pour s'assurer que la corde résiste, si besoin est, puis donne l'autre bout à son compagnon. Bertrand l'enfile dans un anneau de fer fixé au bateau et effectue lui aussi quatre nœuds résistants.

— Comme ça, il n'y a plus de danger. Tu peux y aller maintenant !

Notre jeune héros saute dans le lac les pieds devant, car il ignore jusqu'où cette pierre s'étend sous l'eau. Il ne veut courir aucun risque. Il se rappelle trop bien l'histoire de son ami Félix Bergeron, qui avait plongé tête première dans un lac à partir d'une branche d'arbre située à environ trois mètres de hauteur. Insouciant, le pauvre s'était fracassé le crâne contre une énorme roche plate au fond l'eau. Même s'il fut sauvé in extremis de la noyade, le jeune intrépide devint paraplégique, la moelle épinière ayant été sérieusement atteinte.

Maxime ne veut pas que cela lui arrive. Il préfère se casser une cheville plutôt que passer le reste de sa vie dans un fauteuil roulant. De plus, la pierre n'étant pas très haute, il risque peu de se blesser sérieusement. Une foulure, tout au plus.

L'eau frigorifie instantanément le jeune plongeur. Lorsqu'il revient à la surface, il l'exprime clairement :

— Hiiiiiii! Crime qu'est frette!

— Dépêche-toi, Maxime! Ne reste pas trop longtemps dans l'eau, sinon tu risques de souffrir d'hypothermie. Si jamais tu as un problème, tire sur la corde, d'accord? Je te sortirai de là en moins de deux.

— Pas de problème!

Max Fouineur ajuste son masque et introduit le tuba dans sa bouche. Bertrand lui tend la lampe de poche. Le jeune détective la saisit et disparaît sous l'eau. Dix secondes. Quinze secondes. Vingt secondes. Vingt-cinq secondes.

Soudain, l'excédent de corde sur le bateau défile à vive allure vers le fond de l'eau…

CHAPITRE 26

*P*ierre Grégoire trône au sommet des plus influents avocats d'Europe. Il œuvre pour la célèbre firme parisienne Vigneault, Lemaire, Lottinville, Grégoire et associés. Il possède tout : la beauté, le physique, le talent et la fortune. Seul un sale caractère assombrit ce modèle de perfection. Son entourage l'apprend rapidement quand les choses ne fonctionnent pas à son goût! C'est un gagnant qui n'accepte aucune défaite. Malgré ce vilain trait de personnalité, il constitue le célibataire le plus couru à Paris!

Indépendant comme dix, il compose très bien avec la réputation de coureur de jupons qu'il traîne depuis son divorce avec sa célèbre mannequin italienne, il y a de cela trois ans. Le beau Brummell pourrait se trouver une nouvelle flamme en un claquement de doigts, mais sa carrière passe avant ses amours. Enfin, pour le moment.

Cathy Julmy représente un gros dossier pour lui.

Au prix qu'elle le paie, la prisonnière scientifique mérite tout son intérêt. De toute façon, Grégoire ne se serait jamais déplacé de Paris pour des peccadilles.

Le célèbre avocat n'a encore jamais perdu une cause depuis le début de sa carrière. Son brio à trouver la petite faille juridique lui a permis de disculper les plus grands criminels de France. Les enquêteurs et les procureurs de la Couronne le détestent à s'en confesser, avec raison. Grégoire réprouve aussi que ces vauriens soient remis en liberté grâce à ses habiletés, mais sa volonté de gagner l'emporte sur sa conscience morale.

Le séduisant juriste entre dans le petit local aux murs gris. Aucune fenêtre. Aucun signe de vie. Seuls deux chaises en bois séparées par une petite table carrée, une ampoule électrique suspendue au plafond et un téléphone noir meublent la sombre pièce. Cathy est déjà assise, vêtue d'une camisole et d'un pantalon gris.

— Enfin, vous voilà! Ce n'est pas trop tôt! Je suffoque, ici! Ce n'est pas un endroit pour moi! s'exaspère la grande scientifique.

— Je suis désolé, madame Julmy, mais Genève, ce n'est pas à la porte de Paris, vous savez. Le TGV a beau constituer le moyen de transport terrestre le plus rapide au monde, ce n'est quand même pas un *jet*!

— Eh bien, vous auriez dû prendre un *jet*!

— Hé! Ce n'est pas donné, ça, ma petite dame! Auriez-vous payé la facture? lance l'avocat, voulant damer le pion à son impatiente cliente.

— Oui, je l'aurais payé.

Cette réponse bouche l'avocat, pourtant habitué à avoir le dernier mot.

— Je vous ai engagé pour une seule raison, maître Grégoire : me faire sortir d'ici au plus vite, martèle la prisonnière.

— Je vais voir ce que je peux faire. Vous devez toutefois comprendre que votre charge est très lourde. La caution sera sûrement très élevée.

— L'argent ne représente pas un problème.

— Vraiment? Vous avez volé une banque ou quoi? blague le juriste.

— Mieux que ça. Avec ce que je m'apprête à découvrir, je pourrai même fonder ma propre banque si je le veux, monsieur.

— Et qu'allez-vous découvrir de si important, si je peux me permettre?

— Cela ne fait pas partie de votre mandat, monsieur. Sortez-moi d'ici et vous aurez votre argent. Le reste ne vous regarde pas.

— Comme vous voulez. Toutefois, je tiens à vous indiquer que mes honoraires sont très élevés. Vous

169

risquez d'avoir une surprise désagréable lorsque vous recevrez la facture.

— Je me fiche de la facture. Pensez-vous pouvoir me faire sortir d'ici, oui ou non ? Si vous avez peur de perdre, je vais demander quelqu'un d'autre. Je connais beaucoup de monde, vous savez.

Cette dernière remarque fouette l'ego de l'avocat.

— Sachez, madame, que je n'ai jamais perdu une cause et je n'ai pas l'intention de briser cette séquence avec vous. Vous sortirez d'ici, je vous le promets.

— C'est tout ce que je voulais entendre. Merci et au revoir, conclut sèchement la grande femme, se levant d'un trait et quittant la pièce sans donner la main à son défenseur.

— Mouais… Sale caractère, la grande ! J'adore ! murmure Grégoire.

Quelques heures plus tard, Cathy recouvre sa liberté probatoire, en attente de son procès. Elle doit se rapporter à la police tous les soirs à dix heures puis retourner chez elle jusqu'au lendemain matin, huit heures. Cela lui laisse quatorze heures de latitude.

La grande femme sait exactement comment elle occupera ce temps. Son plan est déjà prêt. Elle a disposé d'amplement de temps pour l'élaborer derrière les barreaux. Cathy prend son cellulaire, consulte sa liste de contacts et compose un numéro. Une voix masculine avec un fort accent italien répond…

CHAPITRE 27

Bertrand Galley panique, seul sur le petit bateau. Il s'empare promptement du câble jaune et tire de toutes ses forces. Le temps presse. Il espère que Maxime aura suffisamment d'oxygène dans les poumons pour tenir le coup. Le poids semble beaucoup plus lourd que supposé. Maxime aurait-il été avalé par un requin ?

— Voyons, imbécile ! Il n'y a pas de requins dans le Léman ! s'injure-t-il, constatant la stupidité de son hypothèse.

Cinq secondes plus tard, il aperçoit une forme qui ressemble à une tête, puis des épaules, puis finalement, Maxime en entier ! Ce dernier tient péniblement une longue et très lourde lance en fer rouillé.

— Ça va, Maxime ?

— Oui, très bien !

— Alors, pourquoi as-tu tiré sur la corde, petit imbécile ? Je t'avais pourtant dit de le faire seulement en cas d'urgence ! s'emporte le bouillant savant.

— J'ai pas tiré sur la corde, je coulais au fond du lac! L'épée est lourde en crime, vous savez! se défend le jeune héros.

— Attends, je vais fixer la corde au bateau pour que tu ne redescendes pas. Voilà! Donne-moi l'épée, maintenant.

— Attention, c'est très lourd.

Le Suisse utilise sa grande force et soulève la lourde lance, qui doit faire dans les trente kilos.

— Magnifique! s'émerveille le scientifique. Comment l'as-tu trouvée?

— J'ai vu un trou d'une vingtaine de centimètres de diamètre, à environ deux mètres sous l'eau. Avec la lampe, j'ai vu qu'il y avait un loquet au fond. Heureusement, je pouvais l'atteindre, celui-là. J'ai tiré dessus pis l'épée m'est apparue. Sauf qu'avec ce poids supplémentaire, je suis devenu comme une ancre pis j'ai calé au fond en moins de deux. Je l'aurais pas lâchée pour tout l'or du monde! Une chance qu'il y avait la corde, sinon vous auriez jamais pu me remonter!

— Tu as été très courageux, Maxime. Je te félicite!

Bertrand dépose la lance de fer dans le fond du bateau et aide son jeune compagnon à sortir de l'eau. Puis, le scientifique reprend le précieux objet et le contemple tout en le caressant de sa main droite.

Près du manche, il détecte des petites saillies ressemblant à du braille.

— Il y a quelque chose d'écrit ici.

— Qu'est-ce que c'est ? s'informe Max.

— Je ne parviens pas à bien le lire. Il y a trop de rouille.

— Il faudrait une laine d'acier.

— C'est sûr, mais je ne pense pas que… Hé ! Attends une seconde !

Le Suisse fouille dans tous les compartiments du bateau, au grand désarroi de notre jeune héros.

— Il doit sûrement avoir quelque chose pour enlever la rouille sur le métal du bateau, raisonne le chercheur. Tout bon capitaine aime que son bateau brille comme un sou neuf, c'est bien connu !

— Ah oui ? Je savais pas ça.

— C'est parce que tu n'as jamais eu de bateau, Maxime !

— C'est sûr…

Bertrand poursuit sa fouille. Dans un petit tiroir, il tombe sur une petite bouteille en plastique gris. Il lit l'étiquette et saute de joie. Il vide alors un peu de liquide sur l'objet rouillé et attend quelques secondes, puis l'essuie avec un chiffon sec. Le résultat n'est pas aussi spectaculaire que prévu, mais le produit enlève suffisamment de saleté pour permettre au savant d'y découvrir le message suivant :

Au pied de la pierre du sacrifice
Au cœur des deux haches.

— Je crois que nous avons percé le mystère des pierres du Niton, mon cher Maxime! exulte Bertrand.

Le bateau repart de plus belle et arrive en un temps record à la grande pierre, appelée aussi *pierre du sacrifice*. Malgré la courte randonnée, Max Fouineur redevient blanc comme un drap.

— Ça va, Maxime? demande Stéphane, qui a assisté, impuissant, à la quasi-noyade de son fils.

Lorsque son père réintègre le bateau, le jeune homme, victime d'un violent choc nerveux, se jette dans ses bras et pleure à chaudes larmes.

— J'ai vraiment cru que j'allais mourir, p'pa…

Les deux s'étreignent longuement, fusionnés l'un à l'autre. L'émotion qu'ils dégagent est palpable. Bertrand se culpabilise d'avoir mis la vie de son jeune ami en danger. Il n'ose croiser le regard accusateur de Stéphane, qui le dévisage sans relâche.

— Il ne sautera plus à l'eau, je vous le promets, Stéphane, déclare le Suisse, repentant. La prochaine fois, c'est moi qui irai.

— C'est pas votre faute, Bertrand. C'est moi qui ai demandé à y aller, plaide Max.

— J'étais responsable de toi et tu as failli mourir, Maxime. Je prends tout le blâme pour ce qui t'est arrivé.

Quelques minutes plus tard, sans mot dire, Bertrand s'attache la corde solidement autour du corps, prend le masque, le tuba et la lampe de poche, puis saute à l'eau. Il tire sur la corde pour rappeler le message de détresse. Quarante secondes plus tard, il réapparaît, totalement vidé de son souffle. Une fois calmé, il replonge et revient environ vingt secondes plus tard, cette fois-ci, moins essoufflé. Il lance la lampe de poche dans le bateau.

— Donnez-moi l'épée, Stéphane.

Le Drummondvillois se penche pour ramasser le précieux objet.

— Crime! C'est ben lourd! Vous allez caler au fond si je vous la donne!

— Ce n'est pas ce que vous souhaitez? lance Bertrand, mi-sérieux, mi-blagueur.

— Voyons donc, vous! J'ai jamais pensé à ça! proteste Stéphane, cachant mal sa honte d'avoir effectivement eu cette pensée à l'esprit.

— Laissez-moi environ un mètre cinquante de jeu, puis fixez la corde à l'anneau près de vous, commande le plongeur.

Une fois cela exécuté, Bertrand reçoit la lourde épée à pointe hexagonale et s'enfonce rapidement sous l'eau. Heureusement, la solide corde tient le coup. L'eau polluée brunâtre brouille énormément la vue du savant, qui doit chercher à tâtons le trou perforé dans la grande pierre il y a de cela plus de quatre siècles. Cet orifice se situe au croisement de deux haches gravées, Dieu seul sait comment.

Puisant dans sa réserve d'énergie, le Suisse parvient à insérer la longue tige dans la brèche et la pousse jusqu'au fond, espérant que la pointe hexagonale se marie à la forme similaire qu'il a aperçue avec la lampe de poche. Lorsqu'il sent l'embout bien ancré, Bertrand tourne la lance, tel un tournevis. Après quelques tours, il remonte à la surface, reprend son souffle et retourne à sa tâche. Il refait cela quatre fois.

La rotation de la lance active un ingénieux mécanisme de levier qui fait doucement monter le boîtier métallique vers la surface. Quand le loquet devient accessible, Stéphane se couche sur le rocher et étire son bras droit pour le saisir. Facilement, il retire l'objet tant convoité. Max Fouineur tire sur la corde pour signaler à Bertrand d'arrêter sa tâche. Ce dernier remonte à la surface et escalade agilement la grande pierre, malgré son épuisement. Ce que peut faire l'adrénaline!

— Te voilà, toi, ma petite coquine! halète le scientifique. On peut dire que tu t'es laissé désirer pas mal longtemps!

— Ouvrez le boîtier, Bertrand! J'ai hâte de voir la deuxième pierre! s'excite Max Fouineur, les yeux pétillants comme lorsqu'il déballe ses cadeaux de Noël.

— Non. À toi l'honneur, mon cher. Tu as risqué ta vie pour la découvrir. Tu mérites d'emblée de l'ouvrir.

— Je sais pas trop, là…, murmure timidement le jeune héros.

— Bertrand a raison, Maxime. Tu mérites cet honneur, renchérit Stéphane.

Le jeune aventurier saisit le boîtier et ouvre la petite porte sur le côté. Bien enrubannée dans un tissu épais cnduit de cire écaillée, la deuxième pierre, gravée d'un *I*, s'y trouve, ainsi qu'un nouveau message gravé au verso.

CHAPITRE 28

Antoine Vilain grille une cigarette, confortablement assis dans son auto. Il sait qu'il ne devrait pas fumer, que la cigarette détruit lentement sa santé, mais il adore tellement le petit côté rebelle que cela procure. De toute façon, a-t-on déjà vu un dangereux criminel lécher un petit suçon au citron dans les films?

Avec sa lunette d'approche, le gredin aperçoit clairement les trois aventuriers célébrer sur la pierre du sacrifice.

— Félicitations, messieurs!

Le malfaiteur saisit son cellulaire et compose le numéro de Letendre.

— Ouais!

— Ils ont trouvé la deuxième pierre, patron.

— Parfait. Tu continues à les suivre discrètement. Et surtout, tu ne fais rien avant que je t'en donne l'ordre, compris?

— J'ai compris! Arrêtez de me casser les oreilles avec cette histoire!

— J'aime mieux te casser les oreilles et faire en sorte que tu te tiennes peinard, petit imbécile! N'oublie pas à qui tu t'adresses, d'accord? Je n'ai pas envie de te voir commettre d'autres bêtises comme celle du portable, pigé? En plus, je vais te dire, des petites crapules comme toi, il en pleut, alors fais gaffe à ta façon de me parler.

— Désolé, patron. J'ai de la difficulté à maîtriser mon caractère.

— Corrige ça au plus tôt, jeune homme, sinon je pourrais perdre patience... Ce serait de très mauvais augure pour toi.

— Hé! Donnez-moi une chance! Je n'ai que vingt ans, après tout!

— Si tu veux te rendre à vingt et un, ne me parle plus jamais sur ce ton.

Vilain raccroche et soupire fortement. Pas facile, la vie de gredin...

CHAPITRE 29

O— ù allons-nous maintenant? s'informe Max Fouineur.

— À Avenches, répond Bertrand en se retournant la tête.

— Hé! Regardez donc en avant quand vous conduisez à 180 kilomètres à l'heure! Un accident est si vite arrivé! sermonne Stéphane, angoissé.

— Calmez-vous. Je suis habitué. Nous roulons régulièrement à cette vitesse en Suisse. Ce n'est rien, en comparaison avec l'Allemagne. Là-bas, il n'y a aucune limite de vitesse sur les autoroutes.

— Aucune limite de vitesse? Ils sont fous! panique Stéphane.

— Bah, ce n'est qu'une question d'habitude, je dirais, plaide le savant. Il n'y a pas plus d'accidents de la route à cause de cela.

— Ben au Québec, ça passerait jamais, une loi de même. Le monde est ben trop sauvage! C'est une vraie jungle sur nos routes! Vous autres, en Suisse, vous arrêtez quand un piéton veut traverser la rue, même si c'est pas à une intersection. Jamais un piéton oserait faire ça à Montréal! Il se ferait engueuler comme du poisson pourri ou écraser en moins de deux! C'est comme pour vos ronds-points, là, quand il faut céder le passage, au lieu de faire un stop : jamais vous allez voir ça au Québec! Les gens sont pas assez respectueux entre eux autres. Chez nous, c'est la règle du JE-ME-MOI pis on s'en fout si ça déplaît aux autres. C'est pour ça qu'il y a des stops à tous les coins de rue. Ça fait suer, mais on n'a pas le choix, raconte le Québécois.

— Je n'aimerais pas conduire dans votre pays, opine Bertrand, étonné de ces coutumes étranges.

— C'est pas de même partout au Canada! C'est juste au Québec que c'est comme ça! grogne Stéphane. Je suis déjà allé à Toronto une fois, pis c'était pas mal comme ici : les conducteurs étaient très respectueux envers les piétons. Nous autres, au Québec, faut faire des messages à la radio pour dire aux gens d'être gentils avec les autres! Ça fait dur, hein? Je sais pas pourquoi on est de même…

— En tout cas, moi, je passe pour un lambin lorsque je vais en Allemagne. Je vois fréquemment des Ferrari, des Porsche, des Gumpert Apollo et des Lamborghini filer à près de 300 kilomètres à l'heure. Juste pour vous donner une idée, la Bugatti Veyron peut atteindre plus de 400 kilomètres à l'heure! Imaginez quand elle apparaît dans votre rétroviseur! Ce n'est pas le temps de faire un minable dépassement à 250 kilomètres à l'heure!

— Jamais je conduirai à une telle vitesse! Jamais! jure Stéphane, qui fait presque une crise cardiaque quand il roule à 120 kilomètres à l'heure.

— Y a pas de danger, p'pa. T'es le champion des pépères! Tes amis te le disent tout le temps!

— Bah, ils disent ça pour me taquiner…

— Pas sûr de ça, moi. C'est sûrement pas pour rien qu'ils nous laissent toujours partir dix minutes avant quand on va à Montréal!

— Que veux-tu, j'aime ça prendre mon temps, moi!

— Je veux ben, p'pa, mais quand c'est rendu qu'on peut voir pousser un arbre dans un champ, ça veut peut-être dire qu'on va pas ben vite!

— Mon petit mausus, toé!

— Tel père, tel fils?

— Mpffff… Compte-toé ben chanceux que Bertrand soit là, sinon je te ferais la prise du sommeil, suivie d'une clé de jambes en quatre!

— Pffff! Tu serais pas capable de me rejoindre! T'es bien trop lent pour ça!

Les deux s'amusent de bon cœur. Comme avant

que Maxime ne découvre cette satanée boîte verte.
Tout a tellement changé depuis…

CHAPITRE 30

Avenches est une charmante petite localité située sur une colline, à dix-sept kilomètres au nord-ouest de Fribourg, dans le canton de Vaud. Autrefois nommée *Aventicum*, elle fut très longtemps la capitale de l'Helvétie romaine. Les Romains l'avaient choisie parce qu'elle se situait au croisement des chemins est-ouest et nord-sud. Protégée à l'époque par une véritable forteresse composée de soixante-treize tours, la muraille romaine se décomposa lentement. Une seule tour tient encore debout : la célèbre Tornallaz.

Max Fouineur lit encore le mystérieux message gravé sur la deuxième pierre du code secret. Il n'en comprend pas du tout le sens. Le contraire aurait été étonnant.

Par le ventre de la pyramide,
Vous trouverez la troisième pierre.
L'Élu de Dieu devra être très rapide
S'il veut découvrir son repaire.

— Il y a une pyramide à Avenches? essaie le jeune détective.

— Pas à ma connaissance. Toutefois, le message de Pilate mentionne bien la ville d'*Aventicum* en troisième lieu. Je crois qu'il faut davantage se fier au message qu'à notre intuition, estime le scientifique. Nous arriverons à Avenches dans une dizaine de minutes. Profites-en donc pour relaxer un peu. Nous aurons besoin de tes neurones.

— Je voudrais ben, mais c'est plus fort que moi : on dirait que mon cerveau veut jamais s'arrêter.

— Je te comprends. C'est la même chose pour moi. Qui sait? Peut-être deviendras-tu un scientifique célèbre? Tu pourrais prendre ma relève!

— Je pense pas être assez intelligent pour vous remplacer, j'en ai ben peur.

— Ne dis pas ça, Maxime. Tu sais, j'étais un élève plutôt ordinaire quand j'avais ton âge…

Bertrand maquille un peu la vérité en affirmant cela, mais il ne veut pas décourager son jeune ami à s'investir à fond dans ses études. Déjà, à douze ans, le célèbre scientifique avait obtenu son diplôme secondaire de l'École de culture générale de Fribourg! Faut le faire!

— Alors, comment on va trouver une pyramide dans une petite ville de Suisse? s'enquiert Stéphane, peu convaincu.

— Je ne sais pas encore, évidemment, mais je suis convaincu que nous trouverons, le rassure Bertrand.

Certes, il trouvera. Mais à quel prix…

CHAPITRE 31

Cathy ne perd pas de temps : elle se trouve déjà à bord du train en direction de Rome. Sa blessure à la jambe la fait encore énormément souffrir, mais elle supporte son mal en silence. Rarement a-t-elle été aussi déterminée, alors ce n'est pas une vulgaire plaie qui l'empêchera de concrétiser son rêve.

Griffonnant des chiffres et des équations dans son petit calepin, la scientifique explore les différentes avenues pour convaincre son éventuel partenaire de s'associer avec elle dans cet audacieux périple. Si son hypothèse se confirme, les deux complices deviendraient archimilliardaires instantanément. Aucun mécène ne refusera de s'engager dans le projet et de lui donner carte blanche.

Bertrand ignore encore ce que Cathy sait, mais à force de chercher les indices du secret de la pyramide de Khops, il tombera éventuellement sur cette information privilégiée, que seules son ex-collègue et peut-être quelques rares personnes dans le monde connaissent.

— Pourvu que Bertrand ne l'ait pas encore trouvée… prie la grande femme.

CHAPITRE 32

Nos trois explorateurs arrivent au célèbre château d'Avenches, patrimoine touristique incontournable de la petite localité, avec l'amphithéâtre romain où trône la célèbre tour Tornallaz.

Construit en 606 par le comte Wilhelm de Bourgogne et pratiquement détruit par les Barbares en 616, le château fut reconstruit au XIe siècle par l'évêque de Lausanne. Puis, il tomba entre les mains des Bernois, qui attaquèrent la ville au XVIe siècle. Ces derniers l'agrandirent de 1565 à 1568 pour y loger leurs baillis. Ses armoiries impressionnantes, ses tourelles majestueuses, ses colonnes au chapiteau ionique, sa toiture rouge et ses arcades majestueuses hypnotisent complètement Maxime.

— Crime que c'est beau !

— Tu as raison d'être émerveillé, Maxime. C'est un des plus beaux châteaux de Suisse, confirme Bertrand, lui aussi impressionné.

— Ça doit coûter cher de chauffage en maudit

cette cabane-là! lâche Stéphane, un peu trop terre-à-terre.

— P'pa!

— Ben quoi? Ça paraît que c'est pas toi qui paie la facture d'électricité à la maison!

— Laisse faire…, soupire Maxime, dépité.

— Nous n'avons pas beaucoup d'options, à mon avis, juge Bertrand. Soit que la pierre se trouve quelque part ici ou bien quelque part dans l'amphithéâtre, ou encore dans la Tornallaz.

— Vous croyez? vérifie Max Fouineur.

— C'est ce que je crois, en effet, confie le scientifique.

Ce dernier ignore toutefois que l'amphithéâtre fut bâti vers 1711, après que la troisième pierre du code secret eut été camouflée.

— Par où on commence? s'informe Stéphane.

— Je crois que nous allons commencer par une petite visite du château, puisque nous y sommes. Qu'en pensez-vous, messieurs? propose le Suisse, soudainement métamorphosé en guide touristique.

— Va pour le château, monsieur le guide! rétorque Max Fouineur, jouant le jeu.

— Je pense que j'ai pas le choix! ronchonne Stéphane, casse-pieds.

Pendant près de quarante-cinq minutes, les trois visiteurs contemplent les magnifiques beautés du château, sans toutefois y découvrir d'indice significatif. Ils empruntent alors un superbe escalier en vis qui les mène jusqu'à un ancien salon. En entrant dans la pièce, Max et Bertrand s'immobilisent brusquement.

— Quoi? Qu'est-ce qu'y a? s'inquiète Stéphane, ne comprenant pas pourquoi ils s'arrêtent de façon aussi imprévisible.

— La cheminée! siffle Bertrand.

— Incroyable! rajoute Max Fouineur.

— Ben quoi? Vous avez jamais vu ça, une cheminée? chiale Stéphane, tout à fait décontenancé.

— Regardez au-dessus du foyer de la cheminée! ordonne le scientifique.

— Ben quoi? C'est juste une hotte de cheminée! On en a aussi, chez nous, au Québec! C'est quoi le rapport?

— Regarde la forme, p'pa!

Stéphane observe quelques secondes. Le déclic se fait dans sa tête.

— Ben oui! Une pyramide! Crime, j'avais même pas remarqué!

— Pas fort comme père! Mamie Monique peut ben dire que tu vois jamais rien! le taquine Maxime.

— Regarde, c'est pas le moment, là, Maxime. J'ai pas fait exprès pour pas la voir, OK? martèle Stéphane, frustré de posséder un si minable sens de l'observation.

Bertrand s'approche de l'âtre.

— *Par le ventre de la pyramide, tu trouveras la troisième pierre…*, murmure le scientifique, planté devant la hotte de forme pyramidale, cherchant le sens de la métaphore.

— Qu'est-ce que vous regardez, Bertrand? se hasarde Max Fouineur.

— Je cherche un moyen de trouver la pierre, Maxime. Le message dit : *Par le ventre de la pyramide…* Quel sens a-t-on voulu donner à cette phrase?

— Le ventre d'une pyramide… Le ventre représente le centre de l'être humain, je dirais…

— Ça aurait du sens. D'autres idées?

— Le ventre… Non, pas d'autre idée pour le moment, abdique Max.

— Le ventre, c'est là que s'accumule ma graisse… c'est là que se trouve mon nombril… raisonne Stéphane, au grand dam de Bertrand.

— Taisez-vous donc, si vous n'avez rien de plus intelligent à dire! tonne le bouillant Suisse.

— Qu'est-ce que vous voulez que je vous dise? J'essaie n'importe quoi! Vous saurez que c'est souvent avec des mauvaises idées qu'on découvre les bonnes, OK? En tout cas, ça marche pour moi! se défend le pauvre maladroit.

Un flash surgit dans le cerveau de Bertrand.

— Mouais… ça aurait un certain sens…, admet-il.

— À quoi pensez-vous, Bertrand? demande Max Fouineur.

— Le nombril… l'endroit par où le sang de la mère circule à travers le fœtus, le conduit qui relie l'enfant à la mère… le lien entre l'intérieur et l'extérieur… réfléchit le scientifique à voix haute.

Bertrand s'accroupit et s'introduit péniblement dans le foyer. Une fois entré, il se déplie et se retourne, ne montrant plus que ses jambes à partir du milieu des cuisses et ses souliers noirs pointant vers Maxime et Stéphane.

— J'aurais besoin d'une lampe de poche! crie le savant d'une voix à peine audible, les parois de la cheminée coupant presque totalement le son.

— Il n'y a pas de lampe de poche ici, Bertrand! beugle Maxime directement dans l'âtre.

— Dans ce cas, je vais y aller à tâtons avec mes mains, hurle le scientifique. L'espace est plutôt restreint ici.

De la cendre et de la suie neigent sur le beau pantalon et les souliers du Suisse.

— Ça y est! Je pense que j'ai trouvé quelque chose! beugle-t-il.

— Soyez prudent, Bertrand! Le message dit qu'il faut être rapide pour…

197

À ce moment, un cri effroyable retentit à l'intérieur de la cheminée et des coulisses de sang dégoulinent sur le pantalon de Bertrand. Deux secondes plus tard, le Suisse s'effondre lourdement dans l'âtre. Une fiole métallique tombe près de lui et roule lentement sur le plancher. Stéphane accourt pour prêter main-forte, mais dès qu'il aperçoit le sang, il perd connaissance et s'affaisse lourdement. Max Fouineur n'ose pas regarder la scène. Du coin de l'œil, il détecte des petits bouts de chair rosés à travers la cendre. Rapidement, le jeune détective s'empare de la fiole avant que la sécurité n'arrive…

CHAPITRE 33

Mohamed Suleiman et quelques membres de son équipe profitent d'une pause bien méritée. Ils s'assoient près de l'entrée du tunnel qu'ils sont en train de creuser dans le Sahara et sirotent une boisson gazeuse froide.

Il reste environ cinq cents mètres à faire avant d'atteindre l'objectif, selon le plan initial. Ils ont installé des rails pour accélérer les déplacements, mais aussi pour acheminer les débris hors des lieux dans de petits wagons. Tout a été pensé, c'est le cas de le dire. Ils devraient être embauchés par le gouvernement pour construire leurs tunnels! Il serait très surprenant que cela se produise, cependant. Ce genre de personnes n'aime généralement pas suivre les règles. Ils sont d'une autre souche.

Soudain, un des travailleurs surgit du tunnel, paniqué ou excité, Mohamed ne sait trop encore. L'ouvrier demande à son patron de le suivre dans le tunnel. Devant son insistance, Mohamed n'a d'autre choix que de le suivre. Les deux hommes embarquent dans le petit wagon et roulent jusqu'au bout du tunnel.

Une fois arrivé sur les lieux, l'ouvrier pointe fièrement sa découverte. Mohamed n'en revient pas! Comment cela est-il possible dans un lieu aussi perdu? L'Arabe retourne immédiatement à l'extérieur du tunnel pour communiquer cette étonnante découverte à Letendre.

Cela confirmerait donc cette légende qui court depuis si longtemps en Égypte…

CHAPITRE 34

Les ambulanciers sortent du château d'Avenches sous les regards des nombreux curieux qui se sont attroupés. Bertrand, couché sur une civière, respire à travers un masque à oxygène. Son teint est dangereusement pâle. Il a perdu près du tiers de son sang, si ce n'est pas plus. Heureusement, le scientifique est branché à un soluté qui lui redonne un peu d'énergie. Par contre, les secouristes devront lui faire une transfusion sanguine pendant le trajet vers l'hôpital, sinon le savant risque de trépasser. Un garrot solidement fixé à son bras droit empêche le sang de se vider de son corps par le bout des doigts.

Dans une glacière, les ambulanciers ont soigneusement disposé les trois morceaux de doigts sectionnés : l'index, le majeur et l'annulaire. Les médecins pourront peut-être les greffer si le parcours vers l'hôpital est assez rapide. Chose certaine, Bertrand ne bénéficiera plus jamais de la même dextérité, car les phalanges et les ligaments sont trop lourdement endommagés.

— La… la fiole… Maxime… la fiole… balbutie-t-il, à bout de force.

— Inquiétez-vous pas avec ça, Bertrand. Tout va bien, le rassure Max Fouineur d'un discret signe de tête.

Le scientifique comprend le signal. Cela lui enlève une tonne de pression. À bout de force, Bertrand laisse lourdement tomber sa tête sur l'oreiller.

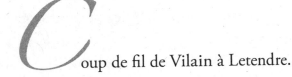

CHAPITRE 35

Coup de fil de Vilain à Letendre.

— Letendre.

— Salut, patron. Il fallait que je vous parle au plus tôt.

— Il y a un problème?

— Oui. Et un sérieux, à part de ça. Galley vient de sortir du château d'Avenches sur une civière.

— Le château d'Avenches? Qu'est-ce qu'il faisait là?

— Il devait chercher la troisième pierre, je dirais.

— À Avenches? Mais c'est une toute petite place!

— Je ne me pose pas de questions, patron. Je ne fais que le suivre, comme vous me l'avez ordonné.

— C'est sûr, c'est sûr… tu as bien agi. Je ne m'attendais jamais à ce qu'une des pierres se trouve à cet endroit, c'est tout… Est-il vivant?

— Je ne saurais trop dire, patron. Il avait l'air très faible, de loin. Je n'ai pas trop osé m'approcher.

— Tu as bien fait… Mouais, il y a un os dans le fromage, cependant…

— Vraiment? Lequel?

— Il ne faut pas que Galley meure. Lui seul peut m'aider à trouver les six pierres.

— Je ne comprends pas… Avec toutes les données que vous possédez, vous devriez pouvoir trouver les pierres, non?

— Tu sembles oublier que j'ai autant d'esprit scientifique qu'une taupe, petit crétin! Je ne comprends pas le millième des notes de Galley! J'ai besoin de lui, vivant. Organise-toi pour qu'il vive.

— Comment voulez-vous que je fasse ça, patron? Je ne suis pas Jésus, moi! Je suis incapable de ressusciter des morts!

— Mes idées sont un peu confuses en ce moment, j'avoue. Excuse-moi, je suis en état de choc. Je m'attendais à beaucoup de choses, mais jamais à celle-là. Galley doit mourir après nous avoir remis les pierres, mais là, il n'en a que deux. Je dois les posséder toutes si je veux réussir mon plan.

— Je vais à l'hôpital pour vérifier son état.

— Bonne idée, mais reste discret.

— Ne vous en faites pas, patron. J'ai plus d'un tour dans mon sac.

CHAPITRE 36

Le lendemain matin, Antoine Vilain, vêtu d'un costume turquoise d'infirmier, marche d'un pas confiant dans le corridor de l'hôpital de Fribourg. Sa perruque aux cheveux bruns courts et sa fausse moustache bernent facilement tout le personnel médical. Comme de nouveaux infirmiers s'ajoutent pratiquement toutes les semaines, le bandit se fond rapidement dans le décor et passe aisément inaperçu.

Sa mission est fort simple : il doit vérifier si Bertrand Galley est hors de danger. C'est tout. Le faux employé arrive au bureau central de l'étage où tous les dossiers des patients sont classés.

— Bonjour, lance-t-il machinalement.

— Bonjour ! Vous êtes nouveau ? s'informe l'infirmière en chef, d'une voix intéressée.

— Oui…, j'arrive de Zurich, invente Vilain.

— De Zurich ? Pourtant, vous avez un accent français.

Cette remarque déstabilise le filou. Il doit improviser rapidement pour annihiler les soupçons de la perspicace femme.

— Vous êtes très forte! En effet, je suis Français, mais j'ai fait mes stages à Zurich.

— Vous ne préféreriez pas travailler en France? Il me semble que cela aurait été plus facile pour vous, non? Il manque énormément de personnel là-bas, j'ai entendu dire.

— *Ta gueule, vieille tarée!* se retient de dire Vilain.

L'escroc panique un peu. Les arguments massue de l'envahissante femme le dérangent énormément. Il doit pondre immédiatement un nouveau mensonge qui lui clouera le bec, car plus il parle, plus il s'embourbe et sème le doute.

— Vous avez raison. Que voulez-vous, ma petite amie est Zurichoise et comme le dit l'adage : l'amour, c'est plus fort que la police!

— C'est bien vrai. C'est tellement beau l'amour…

— *Enfin, elle va passer à autre chose, la vieille chipie!* se réjouit intérieurement le malfaiteur. J'aimerais voir le dossier Galley, s'il vous plaît.

— Un instant, je vous prie.

La quinquagénaire se lève et fouille dans le deuxième classeur à sa droite. Ses doigts charnus parcourent rapidement les nombreux dossiers.

— Voilà, jeune homme.

206

— Merci beaucoup, ma gentille dame. Chambre 2638. Je vous le rapporte dès que j'ai terminé.

Vilain n'ouvre même pas le dossier et se dirige promptement vers la chambre. Il entrebâille doucement la porte jusqu'à ce qu'il aperçoive le célèbre universitaire en train de feuilleter une revue scientifique. Ce dernier tourne vivement la tête.

— Bonjour, infirmier!

Le brigand n'a pas le choix. Il ne voulait pas entrer, mais s'il s'enfuit, il éveillera les soupçons. Il doit jouer le jeu jusqu'au bout.

— Bonjour, monsieur Galley. Comment allez-vous ce matin? Bien dormi?

— Pas vraiment. Ça élance encore beaucoup, grimace Bertrand, montrant les trois grosses catins blanches tachetées légèrement de sang.

— Je vais demander au docteur d'augmenter votre dose de somnifères, improvise le gredin.

Vilain reprend mot pour mot la recommandation de l'infirmière qui s'était occupée de lui lors de son séjour à l'hôpital de Nice. Le voleur s'était introduit par effraction dans une maison cossue, mais en brisant la vitre de la fenêtre du sous-sol, un tesson lui avait profondément entaillé la cuisse droite, il y a de cela deux ans.

— Vous venez pour me laver? s'informe le savant.

Le faux infirmier sursaute légèrement.

— Vous laver? Euh, non, non… cette tâche ne m'est pas assignée ce matin. Je viens seulement prendre des nouvelles.

— D'accord, mais pourriez-vous dire à l'infirmière responsable des bains de venir bientôt? Voyez-vous, j'ai l'habitude de prendre une douche en me levant, le matin. Je commence à me sentir sale.

— Je vais faire le message immédiatement, ce ne sera pas long, monsieur Galley.

Vilain profite de la porte de sortie que lui tend innocemment Bertrand pour prendre la poudre d'escampette. Il repasse d'un pas vif devant le bureau central.

— Il faudrait donner un bain à monsieur Galley, siffle-t-il au passage à l'infirmière en chef, avant de déguerpir par l'escalier menant à la sortie.

— Mais c'est vous qui devez lui donner le bain! Vous avez entendu? s'écrie la femme, ahurie.

Quand elle termine sa question, Vilain est déjà rendu trop loin pour l'entendre…

CHAPITRE 37

C athy? Que fais-tu à Zurich? Je te croyais en prison!

— Eh bien, non! Comme tu vois, je suis libre comme l'air.

— Tu t'es évadée?

— Que vas-tu penser là? Jamais je n'oserais faire ça, voyons! Je ne suis pas une criminelle! Non, je reviens d'une petite escapade à Rome.

— Pourtant, aux nouvelles, ils disaient que tu étais une des têtes dirigeantes d'une organisation clandestine visant à faire chanter le Vatican avec un terrible secret.

— Vraiment? Ils ont dit ça? Ont-ils parlé du secret?

— Non, ils ont juste dit que c'était grâce à Bertrand et au jeune homme du Québec que la police a pu te mettre la main au collet.

— Et tu as cru ça!

— Bien quoi? Ce n'est pas la vérité?

— Qu'est-ce que la vérité, au fond, hein?

— Bien…

— La vérité dépend toujours de quel angle tu regardes une situation. Tu devrais pourtant savoir ça, depuis le temps…

— C'est sûr… Que me vaut l'honneur de ta visite?

— J'ai besoin de ton aide.

— Mon aide? Pourquoi?

— Tu as un peu de temps devant toi?

— Hum… pas tellement, mais je vais le prendre. Allez, entre!

La grande femme se déplace difficilement à l'aide d'une canne. Cela atténue un peu la douleur persistante de sa blessure à la jambe. Elle s'assoit sur le divan en cuir provenant d'Italie.

— Tu sais, je ne pensais jamais venir te voir pour te parler de cela. Comme tu vois, j'éprouve énormément de difficulté à me déplacer.

— Je constate, en effet. De quoi veux-tu me parler?

La scientifique commence son exposé. Son interlocuteur l'écoute assidûment, fronce les sourcils, hoche la tête et se gratte le menton de son index droit. Soudain, il écarquille les yeux et recule la tête en dévisageant la grande femme. Son étonnement ne fait aucun doute. Finalement, il accepte d'un signe de tête et l'entretien se termine par une solide poignée de main.

Maintenant qu'elle a trouvé son homme de confiance, Cathy Julmy rêve du jour où elle deviendra la femme la plus riche du monde. Après cela, l'heure de la vengeance sonnera.

Max Fouineur et Bertrand Galley n'auront qu'à bien se tenir…

CHAPITRE 38

Sur son lit d'hôpital, Bertrand récupère plus rapidement que prévu de son opération. Son excellente santé lui permet de reprendre du poil de la bête, à la grande stupéfaction de son médecin. Ce dernier devrait pourtant savoir que la motivation constitue souvent le plus efficace des remèdes. *La guérison passe par le cerveau.* Telle est la devise du scientifique.

Il a bien raison sur ce point. En tout cas, ça fonctionne vraiment bien pour lui! C'est ce qui importe. Max Fouineur se tient près de son lit, heureux de voir son fidèle compagnon remonter la pente aussi rapidement.

— Vous prévoyez sortir quand? s'enquiert le jeune détective.

— Selon le médecin, si tout va bien, je sortirai dans deux jours.

— C'est une bonne nouvelle. Je me demandais… Pensez-vous pouvoir continuer les recherches?

— Et comment! Je ne pense qu'à ça! Dieu que c'est ennuyeux d'être hospitalisé! Je comprends que les gens soient déprimés quand ils séjournent ici! Il n'y a rien d'autre à faire!

— Et vos doigts? Vous pourrez encore vous servir de votre main?

— Ça, je ne pense pas. Il faudra beaucoup de temps avant que je retrouve toutes mes capacités. Et encore là, je doute de pouvoir revenir comme avant.

— Qu'est-ce qui s'est passé dans la cheminée? ose notre jeune héros.

L'écolier puise dans sa réserve de courage. Il veut connaître le fond de l'histoire, même s'il risque de s'évanouir. Il est tellement sensible. Chaque fois qu'un accidenté raconte les détails de sa mésaventure, Maxime ressent d'étranges crampes à l'abdomen, quand il ne tombe pas carrément dans les pommes!

— Tout s'est passé tellement vite, commence Bertrand. Avec mes doigts, j'ai senti une fente d'environ vingt centimètres de hauteur par dix centimètres de largeur. En y glissant ma main, j'ai touché un objet métallique. C'était la fiole. Je l'ai alors prise, mais comme elle était presque sortie de son enceinte, j'ai senti une résistance. J'ai donc laissé la fiole pendre en dehors de l'espace et j'ai remis ma main à l'intérieur pour vérifier ce qui l'empêchait de suivre. La corde était accrochée à un petit anneau. Quand je l'ai décrochée, j'ai entendu un petit déclic. Je me suis dit que cela venait sûrement de déclencher un mécanisme quelconque, alors je me suis dépêché de retirer ma main, mais ce ne fut pas assez rapide : une lame très tranchante s'est abattue pour fermer l'ouverture, telle une guillotine. Elle a sectionné mes doigts. Quelle douleur atroce! Le sang s'est mis à pisser et je suis tombé dans les vapes.

— C'est débile de penser à faire des pièges comme ça! Ces gens-là devraient subir la même souffrance que vous! peste Max.

— C'est ma faute, Maxime. Le message disait clairement qu'il fallait être rapide et je ne m'en suis pas préoccupé. Cela me servira de leçon à l'avenir. Chaque mot des messages doit être pris au sérieux.

— Je vois ben ça! note le jeune héros, regardant ses doigts encore intacts, s'imaginant la douleur.

— Tu as encore la fiole?

— Je l'ai toujours avec moi, fait Max, la sortant de sa poche gauche.

— Tu as regardé ce qu'il y avait à l'intérieur?

— Êtes-vous malade? Jamais de la vie! Après ce que vous venez de subir, vous croyez que j'avais envie de l'ouvrir? Oubliez ça! Qui dit qu'il y a pas une petite fléchette qui attend juste d'être libérée pour me crever un œil ou m'empoisonner? Ces gens-là sont tellement barbares! Ça serait possible, vous savez. Je voulais pas prendre de chance.

— Tu préférais que je me fasse tuer, c'est ça?

— Ben… euh… non, c'est pas ça… bégaie le jeune peureux.

Comment pouvait-il avouer que c'était un peu le fond de sa pensée? Pas intentionnellement, bien sûr, mais ça revenait à dire cela, en fin de compte. Il voulait sauver sa peau en premier…

— Donne-la-moi, petit trouillard!

— Ce n'est pas ça… je…

— Donne!

Max Fouineur a honte. Lui qui aspire à devenir le plus grand détective de la planète, il ne trouve même pas le courage d'ouvrir un petit contenant en apparence inoffensif. On repassera pour la bravoure!

Bertrand saisit la fiole et l'observe minutieusement. Aucune anomalie.

— Pouvez-vous la tenir, Stéphane? Je ne peux la tenir et la dévisser en même temps, explique le scientifique, montrant sa main pansée.

L'enseignant s'approche et saisit fermement le tube métallique. Bertrand dévisse doucement le capuchon.

— Attention, Bertrand! avertit Max Fouineur.

— Quoi? Qu'est-ce qu'il y a? panique le Suisse.

— Rien, mais on est jamais trop prudent, s'excuse le jeune froussard.

— Bon, d'accord. Pointez la fiole vers la fenêtre, Stéphane. Si vous ressentez quoi que ce soit, une vibration ou une odeur, vous la lancez par la fenêtre. Compris ?

Le convalescent étire son bras gauche et dévisse lentement le bouchon de la fiole. Rien ne se passe.

— Attendons quelques secondes. On ne sait jamais…, recommande Bertrand.

Toujours rien. Le scientifique prend la fiole et regarde à l'intérieur.

— Tenez-la encore, Stéphane.

Bertrand insère son auriculaire gauche à l'intérieur du tube et le retire doucement. Un bout de papier jauni suit son doigt.

— Un autre message, comprend Max Fouineur.

Le scientifique déroule le minuscule manuscrit et lit :

La troisième pierre vous attend, bien sertie
Dans la muraille devant le château d'Avenches.
Pour la découvrir, seul un grand esprit
Pourra élucider cette étrange séquence : 1992.11
† 23

Pendant que Bertrand s'efforce de trouver un sens au message, Maxime blêmit de plus en plus, cherchant désespérément un point d'appui pour se soutenir. Le scientifique remarque la soudaine dé-faillance de son jeune acolyte.

— Ça ne va pas, Maxime ? s'inquiète-t-il.

Stéphane, qui regardait par la fenêtre, se retourne immédiatement. Il voit bien que son fils ne file pas du tout.

— Le chiffre... Le chiffre... C'est... C'est ma date de naissance..., balbutie le jeune homme, avant de s'évanouir...

REMERCIEMENTS

*J*e tiens à remercier Linda Roy, des Éditions JKA, qui me permet de poursuivre mon rêve d'être lu à travers tout le Québec.

Merci aussi à Bertrand et Claudine Galley, mes amis suisses. Je remercie le destin presque chaque jour de les avoir mis sur mon chemin!

Merci beaucoup également à Cathy Julmy, mon amie suisse, qui a accepté avec compréhension et humour le fait qu'elle soit une « méchante » dans mon histoire. Dans son cas, c'est vraiment un personnage, car elle est tellement gentille, dans la vraie vie!

Merci à ma belle compagne de vie Johanne, pour son amour et son support. Je suis choyé de voir son joli visage chaque jour! C'est un cadeau du ciel que j'apprécie énormément!

Finalement, un merci tout spécial à ma mère, Cécile Chassé, pour m'avoir transmis cette belle joie de vivre et cette énergie! Elle représente pour moi un modèle de dépassement de soi!